balsamico

Textes et recettes: Pamela Sheldon Johns
Photographies: Richard Jung
Styliste: Pouké
Accessoiriste: Carol Hacker/Tableprop
Conception graphique: Jennifer Barry Design

Données de catalogage avant publication (Canada)

Johns, Pamela Sheldon
  Balsamico!

  (Tout un plat!)
  Traduction de: Balsamico!

  1. Cuisine (Vinaigre). 2. Vinaigre balsamique.
  I. Titre. II. Collection.

TX819.V5J6414 2002   641.6'2   C2002-940190-9

© 1999, Pamela Sheldon Johns et Jennifer Barry Design

© 1998, Richard G. Jung pour les photos

© 2002, Les Éditions de l'Homme,
une division du groupe Sogides,
pour la traduction française

L'ouvrage original a été publié
par Ten Speed Press
sous le titre *Balsamico!*

Dépôt légal: 1er trimestre 2002
Bibliothèque nationale du Québec

ISBN 2-7619-1656-5

DISTRIBUTEURS EXCLUSIFS:

• Pour le Canada
  et les États-Unis:
  MESSAGERIES ADP*
  955, rue Amherst
  Montréal, Québec
  H2L 3K4
  Tél.: (514) 523-1182
  Télécopieur: (514) 939-0406
  * Filiale de Sogides ltée

• Pour la France et les autres pays:
  VIVENDI UNIVERSAL PUBLISHING SERVICES
  Immeuble Paryseine, 3, Allée de la Seine
  94854 Ivry Cedex
  Tél.: 01 49 59 11 89/91
  Télécopieur: 01 49 59 11 96
  Commandes: Tél.: 02 38 32 71 00
                 Télécopieur: 02 38 32 71 28

• Pour la Suisse:
  VIVENDI UNIVERSAL PUBLISHING SERVICES SUISSE
  Case postale 69 - 1701 Fribourg - Suisse
  Tél.: (41-26) 460-80-60
  Télécopieur: (41-26) 460-80-68
  Internet: www.havas.ch
  Email: office@havas.ch
  DISTRIBUTION: OLF SA
  Z.I. 3, Corminbœuf
  Case postale 1061
  CH-1701 FRIBOURG
  Commandes: Tél.: (41-26) 467-53-33
                 Télécopieur: (41-26) 467-54-66

• Pour la Belgique et le Luxembourg:
  VIVENDI UNIVERSAL PUBLISHING SERVICES BENELUX
  Boulevard de l'Europe 117
  B-1301 Wavre
  Tél.: (010) 42-03-20
  Télécopieur: (010) 41-20-24
  http://www.vups.be
  Email: info@vups.be

Pour en savoir davantage sur nos publications,
visitez notre site: **www.edhomme.com**
Autres sites à visiter: www.edjour.com • www.edtypo.com
www.edvlb.com • www.edhexagone.com • www.edutilis.com

Gouvernement du Québec – Programme de crédit d'impôt pour l'édition de livres
– Gestion SODEC

L'Éditeur bénéficie du soutien de la Société de développement des entreprises cul-
turelles du Québec pour son programme d'édition.

Nous reconnaissons l'aide financière du gouvernement du Canada par l'entrem-
ise du Programme d'aide au développement de l'industrie de l'édition (PADIÉ)
pour nos activités d'édition.

tout un plat!

balsamico

pamela sheldon johns

Traduit de l'anglais par Odette Lord

LES ÉDITIONS DE L'HOMME

Remerciements

Je tiens à remercier Courtney, Alaia, Lucy et Toby Johns pour leur compréhension et leur amour.

Merci à Marco Constanzini pour ses conseils sur les questions d'ordre juridique, mais aussi pour m'avoir aidée à remorquer ma voiture ; et à Jane Calabria McPeak pour m'avoir servi d'interprète et m'être venue en aide de façon amicale.

Je remercie également les personnes suivantes :

Pour leur appui et leur amitié : Kimberley Wicks Bartolozzi, Rolando Beramendi, Francesca Cantini, Ed Valenzuela et Sara Wilson.

Pour les visites dans les vinaigreries : Erika et Eugenio Barbieri ; Otello Bonfatti ; Roberto et Giovanni Cavalli ; Clara et Giovanni Leonardi ; Ermes Malpighi ; Mariangela, Vittorio et Michele Montanari ; Francesco et Maura Renzi ; Pier Luigi Sereni ; et Valeriano Zanasi.

Pour m'avoir nourrie de façon merveilleuse : Paola Bini, Massimo Bottura, la famille Lancellotti, la famille Montanari, Nano et Laura Morandi, ainsi qu'Italo Pedroni.

Pour avoir expérimenté les recettes : Gioia Bartoli, Mari Bartoli, Judy Dawson, Nancy Edney, Philippa Farrar, Paula Ferguson, Linda Hale, Diana Harris et Joan Willicombe.

Et pour leur collaboration exceptionnelle, je remercie également Jennifer Barry et Richard Jung, Cynthia Traina et Dennis Hayes.

Nous tous, chez Jennifer Barry Design, tenons à remercier les personnes et les entreprises suivantes pour leur collaboration et leur soutien tout au long de la réalisation de cet ouvrage :

Pamela Sheldon Johns pour une autre remarquable collaboration et pour l'initiation au monde merveilleux de l'Aceto Balsamico Tradizionale qui a changé à jamais les habitudes alimentaires de l'équipe !

Richard Jung pour s'être rendu à Modène et avoir su rendre avec justesse toute « la beauté des greniers » lors de la fabrication du vinaigre balsamique. Tous les lecteurs peuvent maintenant en profiter en regardant ce livre. Pour cela, et pour avoir réalisé les ravissantes photos des recettes, avec l'aide du styliste Pouké, un grand merci.

L'équipe de photographes et de stylistes tient à remercier Ivy, photographe adjoint, Karen Wang, styliste culinaire adjointe et Michelle Syracuse, responsable des arrière-plans. Merci à Matt Buckman du rayon des produits spécialisés du Draeger's Market de San Mateo, ainsi qu'à Josette Selim et Nancy Gentry, directrices de la mise en marché. Merci également à Barbara Chambers/Spencer House, à San Francisco, ainsi qu'à Juliet et à Helena pour leur appui.

Introduction

Sur le revers de ma main repose une goutte brillante, chargée d'histoire et de traditions : *un miracolo*, comme disent les Italiens, un vrai miracle de la nature. Elle se réchauffe au contact de ma peau et elle est tellement dense qu'elle adhère à ma main et envoie de doux parfums jusqu'à mon nez. Je respire et c'est alors comme si des siècles de savoir-faire s'adressaient à moi, en effluves de raisin noir et de bois doux où l'on note une légère trace d'acidité.

Dans la lumière filtrée de la vinaigrerie — l'ancien grenier où l'on fait vieillir le vinaigre balsamique —, je porte la main à ma bouche pour goûter la précieuse substance. Elle glisse sur ma langue et j'y découvre en même temps la douceur et une petite touche d'acidité. D'une consistance semblable à celle du miel, elle reste longtemps en bouche et, quand j'expire, je reconnais les essences de différents bois : le chêne, le cerisier et le genévrier. Des notes de porto et de cerise s'attardent et viennent chatouiller mes sens. Quand j'ouvre finalement les yeux, j'aperçois le sourire d'un homme convaincu qu'une seule goutte de ce condiment âgé de 150 ans transportera mes papilles au paradis.

« Condiment » est le meilleur terme pour décrire le vinaigre balsamique fabriqué selon la manière traditionnelle. En Italie, on l'appelle Aceto Balsamico Tradizionale, mais c'est un peu une aberration d'appeler ce produit vinaigre. Il est vrai qu'il passe par un processus d'acétification et, à proprement parler, c'est du vinaigre, mais sa méthode de fabrication est bien différente de celle des vinaigres de vin traditionnels. On peut en décrire la fabrication comme un long processus de fermentation qui commence par du moût de raisin, la peau et la pulpe de raisins frais, et une lente ébullition qui peut durer pendant plusieurs heures au-dessus d'une flamme pour que le sucre puisse bien se concentrer. Dans un grenier bien éclairé et aéré, le vinaigre est ensuite vieilli pendant au moins 12 ans dans des barils faits de différentes sortes de bois. La cuisson entraîne une concentration, et le vieillissement donne lieu à une évaporation : on obtient donc un vinaigre sirupeux, au goût bien équilibré. Cette technique séculaire donne un produit qui, une fois qu'on l'a goûté, ne peut être confondu avec aucun autre.

Mais malgré cela, une certaine confusion existe. Comme ce produit est en demande dans le monde entier, on trouve plusieurs contrefaçons. Les aspects juridiques et les stratégies promotionnelles ont embrouillé la distinction entre les différentes catégories de vinaigre balsamique. De plus, les prix et les emballages peuvent être totalement différents et n'avoir aucun rapport avec la qualité.

Les producteurs font donc face à un dilemme : tous les vinaigres balsamiques qui ne sont pas fabriqués selon le procédé traditionnel doivent porter l'étiquette Aceto Balsamico di Modena, appellation qui permet légalement l'ajout de vinaigre de vin, ainsi que d'arôme et de colorant de caramel. Cela soulève un problème, car les normes minimales requises pour qu'un produit puisse porter le nom d'Aceto Balsamico di Modena — le vinaigre balsamique produit de façon industrielle — peuvent engendrer un produit de qualité inférieure. Tout cela pénalise le producteur qui fabrique du vinaigre avec intégrité, c'est-à-dire qui n'utilise aucun additif, qui se sert d'ingrédients de qualité et qui fait vieillir son produit dans des fûts de bois, mais pendant une période plus courte que la période fixée pour produire du vinaigre balsamique traditionnel. Le problème est particulièrement grand pour les producteurs de vinaigre balsamique traditionnel, car plusieurs produits sont présentés comme du vinaigre balsamique sans avoir la qualité qu'entraînent le long processus et l'investissement nécessaires à la fabrication du véritable Aceto Balsamico Tradizionale.

Un peu d'histoire

Avant le début du XVIIIe siècle, il n'existe presque pas de documentation sur les méthodes de fabrication et les utilisations du vinaigre balsamique. Toutefois, au Ier siècle, l'historien culinaire Apicius parle du moût cuit de raisin comme d'un ingrédient culinaire. Les Romains fabriquaient de l'*agrodolce*, une sauce aigre-douce aussi appelée *saba*, avec du raisin cuit, puis réduit. Cette sauce est encore utilisée avec les desserts et la polenta. On peut l'obtenir avec du moût de vin blanc filtré que l'on fait bouillir pour le réduire au tiers de son volume original. Certains se sont demandé si le vinaigre balsamique n'était pas né d'un heureux accident de la fermentation naturelle de l'*agrodolce*. Peut-être aussi qu'un vinaigre très acide aurait été adouci avec de l'*agrodolce*. Selon Renato Bergonzini, professeur et auteur de plusieurs livres sur le vinaigre balsamique, la noblesse a fabriqué de l'*agrodolce* pendant 500 ou 600 ans.

Même si l'on ne connaîtra peut-être jamais l'origine précise du vinaigre balsamique, il existe plusieurs anecdotes au sujet de substances semblables. L'une de celles-ci rapporte un incident qui s'est produit en 1046 quand Arrigo III, en route vers Rome où il sera couronné empereur, demanda qu'on lui donne un échantillon d'un célèbre vinaigre dont il avait entendu parler. Et c'est le marquis de Canossa Bonifacio, qui vivait dans la province que l'on nomme aujourd'hui Reggio Emilia, qui lui a offert ce cadeau. S'agissait-il vraiment de vinaigre balsamique ?

Sûrement, car une description datant de 1100 d'un produit semblable appelé *balsamo* ou baume correspond aux caractéristiques du vinaigre balsamique. On utilisait ce baume seulement à des fins médicinales, mais des rumeurs circulaient sur ses propriétés aphrodisiaques. Du XIIe au XIVe siècle, un produit semblable fut fabriqué et des consortiums furent formés pour que la production de ce vinaigre particulier demeure secrète.

En 1502, le duc de Ferrare, Alphonse Ier d'Este, épousa Lucrèce Borgia. Modène était la capitale de l'autre duché gouverné par les Este, et la famille y fit construire pour ses propres besoins une vinaigrerie qui était située où l'on trouve maintenant l'école militaire. En 1581, Ludovico Mitterpacher, journaliste hongrois et spécialiste de l'agriculture, décrivit fort longuement le processus de fabrication d'un vinaigre sucré à Modène. Dans la technique qui avait été mise au point, on plaçait une brique brûlante dans le mélange et on le faisait vieillir dans des fûts de mûrier de plus en plus petits pendant 6 ans. À l'origine de ce processus, on ne trouvait pas de moût cuit de raisin, mais simplement des raisins pressés.

La présence de Napoléon à Modène mit temporairement fin au règne de la famille d'Este, et la fameuse vinaigrerie fut vendue aux enchères. Dans les registres de la famille, on trouve de nombreuses références au vinaigre balsamique. On l'offrait à d'importants souverains étrangers et il faisait partie de la dot de femmes de la noblesse. C'est sans doute à la même période que ce vinaigre fit son entrée dans la gastronomie, du liquide que l'on sirotait comme digestif à celui qu'on utilisait comme condiment et qu'on versait en filet sur certains aliments. Les documents de l'époque font état d'une différence nette entre les vinaigres utilisés pour la cuisson, ceux qui servaient de condiment et ceux que l'on sirotait comme digestif.

Des bribes de documentation, comme une lettre du village de Nonantola datée de 1839 et faisant référence à des fûts de 130 ans, confirment encore l'existence d'un vinaigre particulièrement vieux. En 1862, Francesco Aggazzotti donna dans une lettre une description bien documentée de la façon de fabriquer le vinaigre balsamique. À cette époque, la définition et l'art de la fabrication de ce vinaigre devinrent généralement bien compris.

Une nouvelle page de l'histoire du vinaigre balsamique commença à la fin des années 70, au moment où l'Italie fit des exportations considérables à d'autres pays européens et aux États-Unis. De plus en plus à la mode chez les chefs cuisiniers, le vinaigre balsamique est aussi devenu un produit connu des consommateurs, et l'on trouve maintenant des bouteilles qui affichent ce nom sur les tablettes de tous les supermarchés. Pour que le consommateur comprenne ce qu'il achète, il est important qu'il sache où les deux vinaigres balsamiques — le traditionnel et celui que l'on fabrique de façon industrielle — sont faits et comment ils sont faits.

La zona tipica

On appelle *zona tipica* la région légalement identifiée pour la fabrication d'un produit. Cette notion peut être comparée aux zones D.O.C. (Dénomination d'Origine Contrôlée) des producteurs de vin, qui ne précisent pas seulement la région géographique où certains vins doivent être produits, mais aussi les ingrédients qui doivent être utilisés, la méthode de fabrication et le vieillissement.

La région de l'Émilie-Romagne regorge de produits traditionnels tout à fait exceptionnels. Les terres fertiles entourant Modène, Parme et Reggio Emilia ainsi que l'imagination des producteurs de la région ont donné naissance à des produits qui sont reconnus dans le monde entier. Que l'on pense au Parmigiano Reggiano, au vin Lambrusco, au jambon de Parme (*prosciutto di Parma*), au nocino (une liqueur de noix), aux cerises Vignola et au *zampone* (une saucisse de porc qui sert de farce à un jarret de porc), pour mentionner seulement les plus connus.

Le vinaigre balsamique fait partie de cet héritage. Deux zones bien délimitées nées des mêmes racines nobles produisent du vinaigre balsamique traditionnel : les provinces de Modène et de Reggio Emilia. C'est en 1862 que la région de production s'est divisée quand les deux provinces se sont séparées, lors de l'unification de l'Italie. En général, la fabrication de vinaigre balsamique traditionnel est régie par la même loi dans les deux zones, mais l'on peut quand même y déceler quelques différences. Par exemple, dans le passé, seule Reggio Emilia utilisait des fûts de genévrier lors du vieillissement, tandis que Modène utilisait plutôt des fûts de mûrier. À Reggio Emilia, le moût de raisin était cuit pendant un court laps de temps, ce qui donnait un vinaigre moins sucré, plus âcre. De nos jours, les pratiques sont plus universelles. La différence majeure réside maintenant dans les façons que chacun des consortiums utilise pour évaluer et garantir le produit. Le consortium de Modène est grand et très bien organisé, tandis que celui de Reggio Emilia, qui est plus petit, a été critiqué pour ses contrôles laxistes, même s'il est bien organisé. Pour le consommateur, c'est toujours une matière de goût, et le seul moyen de juger de la différence est d'essayer chacun de ces différents vinaigres.

Comme il y a une énorme demande pour le vinaigre balsamique, on trouve des producteurs — en dehors de la *zona tipica* — qui essaient de créer des produits comparables. Dans plusieurs endroits, ces individus utilisent un procédé semblable pour fabriquer un vinaigre vieilli avec du moût cuit de raisin : en Chianti, en Ombrie et à Naples, dans les régions californiennes de Sonoma et de Napa, en Allemagne et ailleurs. Mais ces essais ne seront jamais tout à fait identiques au produit original, car le climat, les raisins et l'ambiance de cette partie de l'Émilie-Romagne ne peuvent pas être recréés.

Une visite dans une vinaigrerie typique

Ce que l'on utilise au départ pour fabriquer du vinaigre balsamique est tellement simple que l'on peut se demander comment ce vinaigre peut se transformer en un produit aussi complexe. On se sert toujours des mêmes choses : le raisin et les fûts, en plus de la méthode de fabrication artisanale. Une variation dans chacun de ces composants affectera le produit final, mais la base du processus reste la même.

Le raisin

Selon la loi, on ne peut utiliser que du raisin de production locale de certaines variétés bien spécifiques : Trebbiano, Occhio di Gatto, Spergola, Berzemino et Lambrusco. Jusqu'à maintenant, le Trebbiano blanc est le favori, mais le Trebbiano di Spagna est aussi un clone recherché. C'est un raisin sucré à faible rendement qui pousse bien dans les collines vallonnées. Les raisins sont cueillis lorsqu'ils sont assez mûrs et sont utilisés presque immédiatement, avant que commence leur fermentation.

Les fûts

Les fûts dans lesquels on fabrique le vinaigre balsamique contiennent de 10 à 75 litres, selon le nombre de fûts dans une série. On nomme cette série batterie. La batterie type comporte trois fûts ou plus. Chaque baril possède une ouverture rectangulaire sur le dessus. Cela permet d'ajouter et de retirer du vinaigre, de faire les inspections visuelles et de goûter le produit, et cela assure aussi le contact essentiel avec l'air. Pour empêcher les matières étrangères de tomber dans la précieuse substance, l'ouverture est légèrement recouverte de gaze ou d'un matériau semblable. Les fûts reposent sur le côté, sur un support en bois à crans, et sont placés en ordre de grandeur croissante. Poursuivant le travail de générations de maîtres tonneliers, Francesco Renzi, à Modène, fabrique des fûts de façon artisanale comme ses propres ancêtres, avec des douves très épaisses qui dureront pendant des années.

Le vinaigre balsamique vieillit le plus souvent dans du chêne de Slavonie et de Croatie, du châtaignier de Haute-Vénétie, de l'acacia, du frêne et du cerisier sauvage d'Italie. Les bois les plus précieux et les plus difficiles à trouver sont le genévrier et le mûrier. À l'occasion, le fond et le dessus d'un fût fait sur commande seront fabriqués avec ces bois très recherchés afin de permettre au vinaigre balsamique d'absorber les essences distinctes et relevées de ces bois précieux. Les préférences en matière de bois varient d'un producteur à l'autre. Souvent, une vinaigrerie n'aura qu'un seul baril de genévrier et s'en servira pour faire des mélanges. Les qualités de chaque essence utilisée influencent le vinaigre balsamique de diverses façons. Le châtaignier est riche en tanin et donne une belle couleur au produit. Le cerisier est sucré. Le chêne, à cause de sa densité, aide le vinaigre à devenir plus

IL FAUT UN AN POUR PRÉPARER
LES NOUVEAUX BARILS
POUR LA PRODUCTION
DE VINAIGRE BALSAMIQUE.
ON LES RINCE D'ABORD
À L'EAU BOUILLANTE SALÉE,
PUIS AU VINAIGRE
DE VIN BOUILLANT,
PUIS ON LES REMPLIT
DE VIN QUI DEVIENDRA
DU VINAIGRE
DE VIN PENDANT L'ANNÉE
OÙ IL SÉJOURNERA
DANS LE BARIL.
CE PROCÉDÉ
DE FERMENTATION
FOURNIT AU BOIS LES BACTÉRIES
QUI SERVIRONT À ACÉTIFIER
LE MOÛT CUIT, UNE FOIS
QU'IL SE TROUVERA
DANS LE BARIL.

À Modène, Francesco Renzi est un maître tonnelier spécialisé dans les fûts fabriqués de façon artisanale, destinés à la production de vinaigre balsamique. Le bois vieillit naturellement à l'extérieur pendant 4 à 5 ans avant d'être transformé en barils. Après qu'on a fait tremper le bois, on le laisse se courber pendant 3 mois pour qu'il prenne sa forme. Les barils sont faits à la main avec des douves très épaisses qui dureront pendant des générations. Chaque fût est ensuite marqué du nom de son nouveau propriétaire, suivi du nom de la famille Renzi qui est gravé dans le bois.

LES FÛTS DANS
LESQUELS ON FABRIQUE
LE VINAIGRE BALSAMIQUE
TRADITIONNEL SONT FAITS
DE DIVERSES ESPÈCES DE BOIS.
CERTAINS SERVENT
À AROMATISER, TANDIS QUE
D'AUTRES SONT CHOISIS À CAUSE
DE LEUR DURETÉ ET
DE LEUR CAPACITÉ À CONCENTRER
LE VINAIGRE PENDANT LA PÉRIODE DE
VIEILLISSEMENT. LE GENÉVRIER EST TRÈS
APPRÉCIÉ POUR LA SAVEUR UNIQUE
QU'IL TRANSMET.
L'ACACIA ET LE FRÊNE N'ONT PAS
TOUJOURS ÉTÉ UTILISÉS. CE N'EST QUE
RÉCEMMENT QUE L'ON A
COMMENCÉ À SE SERVIR DE CES BOIS,
AVEC GRAND SUCCÈS, D'AILLEURS.

Rovere/CHÊNE

Castagno/CHÂTAIGNIER

Robinia/ACACIA

Frassino/FRÊNE

Ciliegio/CERISIER

Ginepro/GENÉVRIER

Gelso/MÛRIER

concentré : le premier baril et le dernier de la séquence sont donc souvent en chêne.

Francesco Renzi utilise d'abord un bois brut qui vieillit naturellement à l'extérieur pendant 4 à 5 ans. Il fait ensuite tremper le bois et, pendant une période de 3 mois, il lui fait prendre la forme désirée. À la mi-septembre, quand le temps est plus humide, il rentre le bois. Le travail de précision de la fabrication artisanale des barils est fait à la main par Matteo et Roberto, les fils de Francesco. Ils fabriquent plus de 800 000 barils par année et personnalisent chacun des barils en mettant le nom de leur client à la suite du nom de leur entreprise, « F. Renzi, Modena ». Le type de bois est aussi gravé sur le dessus du baril.

Les barils qui appartiennent à des familles depuis des siècles commencent souvent à couler. Comme les dépôts et les cultures qui sont dans les barils depuis des années sont beaucoup trop précieux pour qu'on les perde, on appelle souvent Francesco Renzi à la rescousse pour qu'il fabrique un nouveau baril autour d'un ancien. Cela permet au vinaigre de rester en contact avec des générations de vinaigres, ce qui constitue l'un des éléments essentiels d'un vinaigre balsamique de grande qualité. Créer un nouveau baril demande une grande connaissance du métier, car on doit être certain qu'il s'adaptera parfaitement bien à l'autre et qu'il durera encore pendant de nombreuses années.

Il faut un an pour préparer les nouveaux barils pour la production de vinaigre balsamique.

D'abord, on doit les remplir d'eau bouillante salée et les laisser reposer pendant 2 jours pour éliminer le tanin du bois. Puis on enlève l'eau salée et on remplit encore les fûts, mais cette fois, de vinaigre de vin bouillant. On vide ensuite les barils et on les remplit du vin qui deviendra du vinaigre de vin pendant l'année où il séjournera dans le baril. Ce procédé de fermentation fournit au bois les acéto-bacters — des bactéries — qui serviront à acétifier le moût cuit, une fois qu'il se trouvera dans le baril. On rince les fûts encore une fois avec du vinaigre de vin et on les place dans le grenier, prêts à recevoir le moût cuit de raisin qui deviendra du vinaigre balsamique. À cette étape, les barils ne seront plus complètement remplis ni tout à fait vidés, et l'on ne remplit les barils qu'à 75 % ou moins de leur capacité afin de laisser un espace pour l'air au-dessus du vinaigre.

La fabrication artisanale : cuire le moût de raisin

Au début d'octobre, j'ai rencontré Mariangela Montanari au château Vignola, une construction qui remonte au Xe siècle. De la tour de garde, nous avions une vue panoramique du village de Vignola et de la rivière Panaro et nous pouvions apercevoir les plantations de cerisiers dont les fruits doivent être tout à fait exquis au printemps.

En traversant Vignola et en passant par la campagne, un chemin non pavé nous a menées à la vinaigrerie familiale, la ferme d'Alfonso — l'arrière-grand-père de Mariangela —, un bâtiment en pierre, construit en 1893, qui se nomme La Ca' dal Non' (La maison du grand-père). L'ami de Mariangela, Pier Paolo Bortolotti, était en train de décharger de grands paniers de raisin Trebbiano di Spagna, pendant que son frère Michele travaillait sur la *mostatrice*, une machine qui enlève les rameaux. À l'intérieur, Vittorio, le père de Mariangela, surveillait la cuisson du moût de raisin fraîchement pressé.

Mariangela explique pourquoi c'est important que la famille et les amis soient aussi unis : « Notre objectif est de garder vivant le savoir-faire nécessaire à la fabrication du vinaigre balsamique traditionnel de Modène et de le répandre au-delà des frontières où il est né, soit dans le monde entier. C'est un travail magnifique, car il nous permet de rester tous ensemble. » Vittorio, qui est ingénieur en mécanique, voit cela comme un passe-temps retrouvé et comme le futur commerce de ses enfants. Pier Paolo étudie l'art de fabriquer le vinaigre balsamique à l'université et apporte son expérience à l'entreprise. Quant à Mariangela et à Michele, ils s'occupent du marketing et des affaires.

Autrefois, on faisait la cuisson dans des bacs de cuivre au-dessus de feux de bois, mais aujourd'hui, la plupart des producteurs utilisent des cuves d'acier inoxydable qu'ils déposent directement sur une flamme produite par un appareil au gaz. Les propriétés naturelles du cuivre accroissent la libération des sucres, mais l'acier inoxydable assure une surface de cuisson plus égale. Pour éviter que les raisins ne brûlent, la température est contrôlée par un thermostat. Grâce à une lente ébullition, on obtient la concentration en sucre désirée. Pendant les 30 premières minutes, les raisins cuisent à une température de 90 à 95 °C (195 à 200 °F), puis on diminue à une température de 80 à 85 °C (175 à 185 °F) pendant 24 à 36 heures. Les bacs sont ouverts pour provoquer l'évaporation et la réduction du moût de raisin. Après une période d'au moins 24 heures, le volume original sera réduit de moitié et le moût contiendra de 20 à 24 % de sucre.

À la suite de cette cuisson lente, on verse le mélange dans un grand fût de bois, où il reste pendant plusieurs mois pour que la fermentation puisse commencer. Le premier changement d'importance se produit quand le sucre se transforme en alcool, sous l'effet des levures naturelles du raisin. Vient ensuite une réaction chimique engendrée par les acétobacters, qui transforment l'alcool en acide acétique et permettent au moût de se changer en vinaigre. Quand ce processus est commencé, on peut alors verser le mélange dans les fûts de bois. À mesure que le vinaigre vieillit, l'acide acétique et l'alcool diminuent, mais le goût demeure à la fois vif et moelleux.

En fait, on veut que la fermentation de l'alcool se fasse lentement, et le climat est un précieux allié pour aider à contrôler cette variable. Pendant les mois d'hiver qui suivent, le mélange peut décanter, permettant aux particules solides de se former et au vinaigre de se clarifier. Au cours des étés subséquents, l'air se réchauffe et la fermentation reprend, puis elle diminue et reste stable pendant les mois plus froids. C'est dans les greniers qui ne sont pas isolés que l'on trouve la meilleure exposition aux variations de température. Comme les fûts possèdent une ouverture, l'évaporation du liquide se poursuit, le mélange peut donc réduire et se concentrer davantage.

Le vieillissement

Dans une maison toute simple de la campagne au nord de Modène, réside l'un des plus grands producteurs de vinaigre balsamique traditionnel de la région. L'Acetaia Del Cristo était à l'origine la propriété de Loris Bellei, un célèbre maître tonnelier, mort récemment. Cette vinaigrerie appartient maintenant à Eugenio et à Giorgio Barbieri, assistés d'Otello Bonfatti, un spécialiste dans la fabrication de vinaigre balsamique. Ils produisent annuellement de 3 000 à 3 500 bouteilles de vinaigre balsamique traditionnel avec plus de 1 000 fûts. Malgré une production aussi considérable, ils n'utilisent que de 1 à 2 % du vinaigre qui vieillit dans les fûts. Tout le raisin utilisé pousse sur leurs terres dans cette région répu-

tée pour le Lambrusco. L'organisation de cette vinaigrerie est originale et différente : les fûts de la même taille sont disposés ensemble, plutôt que par ordre de grandeur croissante, sans doute pour gagner de l'espace. Dans la salle où ont lieu les dégustations, Barbieri et sa fille Erika précisent qu'ils ne fabriquent que des vinaigres approuvés par le Consortium et dont l'âge minimum est de 12 et 25 ans. Ils ont d'ailleurs apporté un échantillon d'une variété unique qui répondait à tous les critères de qualité du Consortium — un vinaigre de 25 ans, vieilli dans des fûts de cerisier seulement —, et ce vinaigre a enchanté mes papilles.

Tous les barils possèdent une ouverture, mais on la couvre légèrement de gaze pour empêcher les insectes d'y entrer. Traditionnellement, certains producteurs utilisaient des cailloux de la rivière Panaro. L'acétification qui se produisait alors dans les fûts entraînait la formation de dépôts calcaires sur ces galets. C'était là un signe que tout se déroulait normalement.

Une autre vinaigrerie, celle d'Ermes Malpighi, est dans sa maison, en banlieue de Modène. Après être passée par des jardins entretenus de façon impeccable, remplis de cygnes blancs et noirs, je suis entrée dans la vinaigrerie. J'y ai immédiatement perçu

Eugenio Barbieri et
Otello Bonfatti
retirent un échantillon
de vinaigre balsamique
traditionnel.

Acetaia Del Cristo,
San Prospero

l'arôme de mélanges anciens. Tous les fûts avaient été peints en noir, ce qui augmentait l'atmosphère théâtrale du grenier. Les ouvertures de tous les barils étaient soigneusement recouvertes de lin aux bordures de dentelle faites à la main par la mère de M. Malpighi. Ce producteur m'a donné une leçon sur les cinq éléments de la fabrication du vinaigre balsamique : la *zona tipica,* le raisin, l'influence du climat, les fûts et la passion. Mais il a sans doute oublié de me parler d'un élément important, la patience. Avec environ 520 fûts, Ermes Malpighi produit annuellement 4 000 bouteilles de vinaigre balsamique aux capsules ivoire ou dorées. « Après 25 ans, de 70 à 90 kg (154 à 198 lb) de raisin produiront seulement un peu plus de 7 bouteilles de vinaigre balsamique portant la mention *extravecchio* (très vieux), vieilli pendant au moins 25 ans. Cela entraîne un grand investissement à plusieurs points de vue, mais particulièrement un investissement de temps. »

À 30 kilomètres de Modène, dans les collines vallonnées et les forêts autour de Sassuolo, se trouve la grande vinaigrerie traditionnelle de Sante Bertoni qui compte plus de 1 500 fûts, incluant de très vieux barils qui proviennent d'Allemagne et de Sicile. En élargissant la définition du terme *tradi-*

zionale au maximum, la vinaigrerie de Sante Bertoni a réussi à produire un vinaigre balsamique de grande qualité en moins de temps qu'il en faut habituellement. Qualifié de rebelle par certains, de révolutionnaire par d'autres, M. Bertoni a confondu les experts dégustateurs, car il a obtenu des notes très élevées pour des vinaigres très jeunes. Il commence en utilisant des raisins cultivés sur ses terres, le Trebbiano et le Lambrusco Grasparossa. Il les fait cuire lentement pendant 24 heures, de façon traditionnelle, jusqu'à ce que le moût contienne environ 30 % de sucre. C'est lors de la fermentation initiale qu'il y a une différence dans la technique de M. Bertoni. Au lieu de mettre tout de suite le moût cuit dans les grands fûts, il le laisse reposer dans des récipients de verre pendant deux mois. Il transfère ensuite le tout dans de grands fûts de chêne et fait un mélange avec une quantité égale de vinaigre préalablement vieilli pour que s'amorce une lente fermentation qui durera un an. Après un séjour d'une autre année dans des fûts de chêne plus petits, le mélange s'est déjà transformé en vinaigre avant d'être versé dans une série de fûts. Ce départ en trombe du processus permet d'économiser un temps précieux lors de la période de vieillissement. Et le produit final est aussi savoureux.

Le transvasement et le remplissage

Ce processus essentiel se déroule pendant l'hiver, généralement entre septembre et mars, selon le moment où la nouvelle quantité de moût cuit sera ajoutée. Mais la chose primordiale dans tout ça, c'est qu'il faut procéder à cette opération quand la température est fraîche et que la fermentation se fait lentement.

À Magreta, à la limite de la province de Modène où la rivière Secchia borde Reggio Emilia, on trouve une ferme charmante et une ancienne vinaigrerie, qui date de 1871. À la vinaigrerie de Giovanni Leonardi, l'atmosphère nous fait faire un retour vers le passé. Véritable musée d'outils et de matériel agricole, l'endroit renferme aussi de très vieux fûts, dont l'un porte le sceau de Matilde di Canossa, membre de cette noble famille. En évitant les chats, les chiens et les paons, je suis entrée dans la grange et je me suis penchée pour pouvoir gravir les marches de bois qui mènent au grenier. C'est là que j'assisterai au rituel du transvasement du vinaigre balsamique d'un fût à un autre.

Le processus commence par le plus petit fût de la série, qui est sans doute celui où le vinaigre balsamique a le plus vieilli. Giovanni et sa fille Clara utilisent un échantillonneur pour retirer une toute petite quantité que l'on pourra goûter. Pour les besoins de l'évaluation, on nous verse tous quelques gouttes sur le revers de la main. Nous nous attardons d'abord à la couleur et à la densité du vinaigre, puis à son arôme et, finalement, nous le goûtons. Le vinaigre balsamique a une bonne odeur et beaucoup de finesse. Nous sommes donc d'accord pour que l'on transvase du vinaigre de ce fût, puis qu'on le remplisse. On retire d'abord une portion du vinaigre qui sera embouteillé ou utilisé immédiatement. On enlève environ 20 % du vinaigre, et l'on ne vide jamais complètement un fût. Ce baril sera ensuite rempli de vinaigre balsamique provenant du fût suivant, soit celui qui est juste un peu plus grand. Le terme « remplir » peut induire en erreur, car les fûts ne sont remplis qu'à 75 % de leur capacité. On répète cette opération pour chacun des fûts, jusqu'à ce qu'il reste de l'espace dans le dernier baril, soit le plus gros. C'est là que l'on ajoutera le nouveau moût cuit.

En plus du vinaigre balsamique traditionnel, la vinaigrerie Leonardi produit aussi plusieurs autres vinaigres balsamiques de grande qualité, qui ont tous vieilli dans des fûts de bois pendant des périodes allant de 3 à 30 ans. On embouteille et l'on vend également de la *saba*, un moût de raisin très réduit qui n'a ni fermenté ni vieilli.

Parmi les vinaigreries, on note de légères différences. Certains producteurs cuisent le moût plus

GIOVANNI LEONARDI EXÉCUTE
LES OPÉRATIONS DE TRANSVASEMENT
ET DE REMPLISSAGE. DANS LE SENS
DES AIGUILLES D'UNE MONTRE,
EN COMMENÇANT EN HAUT,
À GAUCHE : UN ÉCHANTILLON
DE VINAIGRE BALSAMIQUE ÂGÉ
DE 30 ANS EST RETIRÉ
DU DERNIER FÛT (LE PLUS PETIT)
POUR ÊTRE ENSUITE GOÛTÉ.
APRÈS QU'ON A RETIRÉ UNE PARTIE
DU VINAIGRE DU PLUS PETIT FÛT
POUR LE METTRE EN BOUTEILLE,
ON RETIRE DU VINAIGRE DU BARIL
SUIVANT ET ON LE TRANSVASE
DANS LE FÛT PRÉCÉDENT.
ON POURSUIT CETTE OPÉRATION
JUSQU'À CE QUE L'ESPACE À COMBLER
SOIT DANS LE PLUS GROS BARIL
DE LA SÉRIE. C'EST DANS CE FÛT
QUE L'ON AJOUTERA
LE NOUVEAU MOÛT CUIT.

ACETAIA LEONARDI,
MAGRETA

ACETO BALSAMICO

TRADIZIONALE

COULEUR : BRUN FONCÉ,

PLEINE DE CHALEUR ET DE LUMIÈRE

DENSITÉ : LIQUIDE,

MAIS QUAND MÊME SIRUPEUSE

ARÔME : COMPLEXE AVEC DES NOTES

DE BOIS ET DE RAISIN

SAVEUR : RICHE, AIGRE-DOUCE,

PARFAITEMENT DOSÉE

ACETO BALSAMICO DI MODENA

COULEUR : BRUN FONCÉ

DENSITÉ : CLAIRE ET TRÈS LIQUIDE

ARÔME : VINAIGRE DE VIN ET SUCRE

SAVEUR : ACIDE,

AVEC UN ARRIÈRE-GOÛT DE CARAMEL

longtemps, d'autres introduisent le moût cuit immédiatement dans la série de fûts et, comme on peut le constater, d'autres encore utilisent différentes méthodes de vieillissement. Toutes les bouteilles de vinaigre balsamique traditionnel sont différentes. Pas seulement d'un producteur à l'autre, mais aussi à l'intérieur même de la production d'un seul fabricant. Chaque année, une série de fûts donne naissance à un produit unique. Comme les fûts ne sont jamais complètement vidés, chacun renferme un nouveau mélange qui comporte des traces du vinaigre balsamique provenant du tout premier moût cuit à y avoir séjourné.

En 1962, il y eut un changement dans la législation. Il fut alors permis de produire et de vendre du vinaigre balsamique fait de moût cuit de raisin.

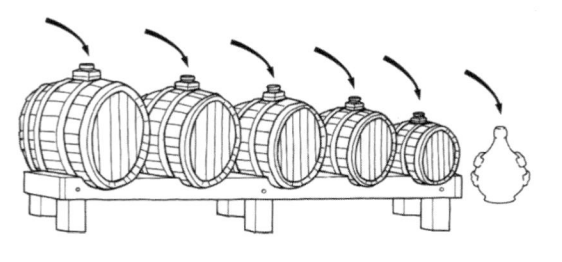

chêne, châtaignier, cerisier, frêne mûrier

Cela pourrait bien décrire le vinaigre balsamique traditionnel, mais le libellé de la loi n'était pas assez précis pour empêcher certains producteurs de mettre au point des méthodes de fabrication plus abordables afin de répondre à la demande croissante pour le produit. Certains produits, qui ne contenaient qu'un pourcentage de moût cuit et vieilli — une quantité tout juste suffisante pour se conformer à la loi —, ont trouvé leur place sur les étagères. Les producteurs de vinaigre balsamique traditionnel se sont vivement opposés à cela et, le 3 décembre 1965, fut créée une réglementation qui définissait la zone de production du produit industriel appelé Aceto Balsamico di Modena.

La définition de l'Aceto Balsamico di Modena est tellement imprécise qu'il peut exister beaucoup de variations sur le plan de la qualité d'un producteur à l'autre. L'entreprise Cavalli, à Scandiano, dans la province de Reggio Emilia, possède une très bonne réputation. C'est en 1920 que le regretté Ferdinando Cavalli a commencé sa collection de fûts. Certains provenaient d'anciennes fabriques de vinaigre et de domaines appartenant à des familles aristocratiques de Reggio Emilia. Parmi ceux-ci, on trouvait des fûts qui dataient du début du XVIIIe siècle. En 1980, M. Cavalli, qui gagnait de plus en plus de prix pour son vinaigre balsamique traditionnel, transforma son passe-temps en entreprise. Il fonda alors le Consortium du vinaigre balsamique traditionnel de Reggio Emilia. C'est à la fin des années 60 qu'il commença à fabriquer du vinaigre balsamique de façon industrielle, en respectant les étapes traditionnelles de la cuisson du moût de raisin et du vieillissement dans des fûts de bois.

Roberto et Giovanni, ses fils, ont maintenant pris la relève. En plus d'un excellent vinaigre balsamique

SUR LA PAGE PRÉCÉDENTE,

ON PEUT VOIR UNE SÉRIE TYPIQUE

DE FÛTS TRADITIONNELS FAITS

DE DIFFÉRENTES SORTES DE BOIS.

CETTE SÉRIE DE BARILS

ILLUSTRE AUSSI L'ORDRE

DE TRANSVASEMENT ET

DE REMPLISSAGE DU VINAIGRE.

SUR CETTE PAGE : UN ENTONNOIR

DE VERRE DU XVe SIÈCLE

QUI SERVAIT À TRANSVASER

LE VINAIGRE.

traditionnel, ils fabriquent leur propre vinaigre de vin ainsi que du *semibalsamico,* un condiment fait de moût cuit et conservé dans des fûts de chêne pendant 2 ou 3 ans. Afin de pouvoir exporter annuellement 40 000 bouteilles aux États-Unis, ils transforment plus de 450 000 kilogrammes (1 million de livres) de raisins par année.

Ces résultats sont stupéfiants, jusqu'à ce qu'on les compare à ceux d'un autre producteur que j'ai visité. Dans des installations modernes où l'on trouve des opérations très automatisées d'étiquetage, de datation et de mise en caisse, ce géant de l'industrie produit 2 700 bouteilles à l'heure et exporte plus de 15 millions de litres d'Aceto Balsamico di Modena par année. Une production industrielle de vinaigre balsamique d'une telle ampleur requiert annuellement plus de 40 millions de kilogrammes (88 millions de livres) de raisins.

Dans cette usine, la plus grande partie du vinaigre se retrouve directement dans du verre, mais une certaine quantité du produit passe un an dans des fûts de chêne aussi gros que des automobiles. On peut se demander si un aussi grand volume de vinaigre qu'on ne remue jamais subit réellement l'influence du bois.

Le Consortium

Trois groupes se sont formés pour protéger et appuyer la production de vinaigre balsamique traditionnel fabriqué de façon artisanale. La Consorteria à Spilamberto agit un peu comme la mère spirituelle des deux autres, en procurant conseils et formation aux maîtres dégustateurs. Les deux autres groupes représentent Modène et Reggio Emilia, les deux régions où l'on fabrique du vinaigre balsamique traditionnel.

La Consorteria dell'Aceto Balsamico Tradizionale di Modena (Spilamberto)

C'est en 1967 qu'est née la Consorteria de Spilamberto. Le but de ce regroupement était d'étudier et d'évaluer le procédé de fabrication de l'Aceto Balsamico Tradizionale et de définir clairement la différence entre le vinaigre produit de façon industrielle et celui produit de façon traditionnelle.

Le mot *consorteria* signifie coterie ou confrérie. Fondée par Rolando Simonini, la *consorteria* compte maintenant plus de 1 500 membres. Pendant plus de 10 ans, ce groupe a parrainé les cours de maître dégustateur formant les spécialistes qui garantissent l'authenticité du produit. Il faut au moins 9 ans pour réussir le cours de maître dégustateur. Ce cours comprend 12 leçons théoriques et examens, un examen de dégustation qui s'étend sur 2 ans ainsi que 3 ans de dégustations en solo au rythme stupéfiant de 100 dégustations par année. Pendant le cours, les élèves reçoivent le titre d'apprenti dégustateur, de dégustateur et, finalement, de maître dégustateur.

Les 12 membres du conseil d'administration, dirigé cette année par Francesco Saccani, donnent des recommandations et se consacrent à la protection de la fabrication artisanale du vinaigre balsamique traditionnel. Ce groupe est aussi responsable de concevoir le formulaire de dégustation des vinaigres utilisé par le Consortium.

Chaque année, les producteurs attendent impatiemment le Palio di San Giovanni le 24 juin, la double célébration de la naissance de saint Jean-Baptiste et du solstice d'été. Selon la tradition, on allume des feux de joie pour symboliser la puissance du soleil d'été, car c'est le moment de célébrer la générosité de la nature. Plus de 1 000 échantillons de vinaigre balsamique traditionnel sont présentés lors du concours pour le grand prix, qui couronne le meilleur vinaigre balsamique de l'année.

Le Consortium des producteurs de vinaigre balsamique traditionnel de Modène

Le Consortium de Modène a été créé en 1979 pour « promouvoir et protéger la production du vinaigre balsamique traditionnel de Modène ». Ses bureaux se trouvent actuellement dans le palais Guidotti, résidence du premier président du consortium et emplacement de l'ancienne vinaigrerie du comte Guidotti Bentivoglio, l'une des plus anciennes vinaigreries de Modène, qui date du XVe siècle. Le rôle du Consortium est aujourd'hui de représenter les producteurs du point de vue juridique, ainsi que de contrôler et de garantir les analyses d'échantillons, la réalisation de la mise en bouteille et l'application des sceaux de qualité qui constituent l'assurance que le vinaigre balsamique satisfait aux normes de la législation. Tous les membres du Consortium paient une cotisation annuelle de 200 000 lires (environ 145 $ CAN). Cela leur donne le droit d'être évalués par les maîtres dégustateurs et d'être représentés dans les batailles juridiques. Sur environ 120 membres, seulement 25 % embouteillent leurs produits pour les vendre. Les autres ne fabriquent du vinaigre balsamique que pour leur propre consommation et pour en offrir.

Lors des dégustations, environ 20 000 bouteilles par année se qualifient, sont embouteillées dans des flacons uniques dessinés par Giorgetto Giugiaro — qui est aussi un designer automobile réputé —, portent le sceau du Consortium et sont numérotées. La petite bouteille trapue, qui est en fait ronde sur un fond rectangulaire, porte l'étiquette du Consortium d'un côté et celle du producteur, de l'autre. Si le vinaigre a subi un vieillissement de 25 ans ou plus, on place une capsule dorée sur son bouchon. Un bouchon de couleur ivoire signifie que le vinaigre a passé au moins 12 ans en fûts. La couleur des capsules n'est pas prescrite par la réglementation, mais elle permet de distinguer du premier coup d'œil les vinaigres jeunes des plus âgés. Par-dessus la capsule de couleur, on peut voir un sceau, petite bande de papier où l'on peut lire du côté gauche le nom Aceto Balsamico

« LE VINAIGRE BALSAMIQUE
TRADITIONNEL EST PRODUIT
DANS LA RÉGION
DES ANCIENNES TERRES APPARTENANT
À LA FAMILLE DES DUCS D'ESTE.
SANS AJOUT DE SUBSTANCE
AROMATIQUE, ON L'OBTIENT
EN UTILISANT DU MOÛT CUIT
DE RAISIN QUI MÛRIT
LORS D'UNE LENTE ACÉTIFICATION,
CE QUI AMÈNE
UNE FERMENTATION NATURELLE
ET UNE CONCENTRATION PROGRESSIVE
GRÂCE À UN TRÈS LONG VIEILLISSEMENT
DANS UNE SÉRIE DE FÛTS
DE DIFFÉRENTES ESPÈCES DE BOIS.
D'UN BRUN INTENSE ET BRILLANT,
IL EST DENSE ET D'UNE CONSISTANCE
SIRUPEUSE. LE DOSAGE PARFAIT
DE SON GOÛT AIGRE-DOUX LUI DONNE
UNE SAVEUR INIMITABLE ET
DE DOUCES NUANCES
QUI CORRESPONDENT À
SON CARACTÈRE OLFACTIF. »

THE TASTE MASTERS,
SPILAMBERTO, 1976

Tradizionale di Modena D.O.C. Et, au centre, tout à fait en haut de la bouteille, on aperçoit le logo, un ancien récipient sur fond orange. Sur le côté droit, se trouvent les mots Sigillo di garanzia Consorzio Produttori (sceau de garantie du Consortium des producteurs), accompagnés d'un numéro de série individuel qui se rapporte à l'échantillon qui fut analysé dans des conditions très strictes. En plus de leur cotisation annuelle, les producteurs paient pour la mise en bouteille : environ 8 $ pour chaque vinaigre âgé de 12 ans — celui à la capsule ivoire — et autour de 14 $ pour l'*extravecchio* — celui à la capsule dorée.

Quand ils sont prêts pour l'évaluation, les fabricants apportent leur produit au Consortium dans des conteneurs scellés. Les échantillons sont placés dans des fioles de 10 ml. Lorsque des échantillons de 6 producteurs se sont accumulés, 5 dégustateurs reçoivent un avis pour se présenter au Consortium 2 jours plus tard. La dégustation se fait à l'aveugle, et les dégustateurs ne savent pas avant leur arrivée avec qui ils travailleront, car il y a une rotation parmi la trentaine d'experts qui ont été formés par la Consorteria de Spilamberto.

Un groupe de 5 experts prend place à table où des panneaux les isolent les uns des autres. Cha-

que cabine contient une chandelle, une cuillère de céramique, des pains bâtons, un verre d'eau et une liste de contrôle. Tous les échantillons sont évalués séparément sur leur aspect visuel, leur arôme et leur saveur. Après l'évaluation individuelle, on retire les panneaux, on fait une moyenne des points accordés, et tous les échantillons font l'objet d'une discussion. Les experts dont les notes sont très différentes de celles de la majorité doivent défendre leur point de vue, et la décision finale doit être prise à l'unanimité. L'uniformité dans les points accordés est étonnante. Pour se qualifier, les vinaigres à la capsule ivoire doivent obtenir au moins 229 points sur 400 ; et ceux à la capsule dorée — ou les *extravecchio* — doivent récolter au moins 255 points.

On détermine donc une note finale, et c'est sur cette base que les échantillons sont retenus ou rejetés.

À la suite de ce processus, environ la moitié des échantillons sont retournés au fabricant pour qu'il fasse vieillir son produit plus longtemps ou qu'il fasse les changements qui s'imposent. À partir de ce moment-là, le vinaigre balsamique qui a été retenu est mis en bouteille par le personnel du Consortium et le contrôle de l'opération est fait de façon très stricte. D'un côté de la bouteille, le Consortium place l'étiquette avec son logo accompagné de la définition de l'*antico condimento*, et il laisse l'autre côté libre pour que le producteur puisse personnaliser le produit en y plaçant sa propre étiquette. Le sceau de garantie — une petite bande de papier — est placé par-dessus le bouchon et la capsule de couleur. Chaque bouteille porte aussi un numéro qui correspond au numéro de l'échantillon archivé au Consortium, où l'on conserve un échantillon de chacun des spécimens évalués.

Marco Costanzini dirige le Consortium presque tout seul et passe un temps incroyable à s'occuper des batailles juridiques — que la spécialiste en cuisine italienne Faith Willinger a surnommées «les guerres balsamiques» — entre les fabricants d'Aceto Balsamico di Modena qui produisent annuellement 30 millions de bouteilles et les fabricants de vinaigre traditionnel qui en produisent seulement 20 000. Il se bat aussi contre les produits qui «imitent» l'Aceto Balsamico Tradizionale et qui n'entrent dans aucune catégorie, selon la loi.

Le 4 mars 1986, le gouvernement a finalement reconnu la D.O.C. de l'Aceto Balsamico Tradizionale di Modena et de l'Aceto Balsamico Tradizionale di Reggio Emilia.

C'est cette distinction qui mena à la formation du deuxième consortium qui a aussi comme objectif de protéger le produit traditionnel, mais cette fois à Reggio Emilia.

Le Consortium des producteurs de vinaigre balsamique traditionnel de Reggio Emilia

Fondé par Ferdinando Cavalli en 1986 pour la protection du vinaigre balsamique traditionnel de Reggio Emilia, le Consortium — organisme sans but lucratif — a comme objectif: «de promouvoir toute initiative pour protéger l'authenticité et les caractéristiques du vinaigre balsamique traditionnel de Reggio Emilia, de trouver des façons de distinguer le produit et de garantir son authenticité en utilisant des marques de commerce appropriées, d'assister et de conseiller les membres du consortium sur les façons d'améliorer la fabrication et la commercialisation et, finalement, de contrôler et de superviser la production et la commercialisation.»

Les membres d'un comité technique sont responsables de la dégustation et ils agissent aussi à titre d'experts-conseils. J'ai eu la chance unique d'assister à l'une de ces dégustations. Un lundi soir d'octobre, Giovanni Cavalli est venu me chercher à mon hôtel de Reggio Emilia. Après un court trajet en voiture, nous sommes arrivés à l'école secondaire du quartier. Quand nous sommes entrés dans le laboratoire de chimie, nous avons été accueillis par les dégustateurs de la soirée. La salle était prête. Parmi les éprouvettes et les becs Bunsen, 5 groupes de 5 membres chacun allaient prendre d'importantes décisions concernant 25 échantillons de vinaigre balsamique qui attendaient d'être évalués.

Ce soir-là, le sixième groupe était incomplet — il comptait seulement 2 hommes — et, comme tout était déjà en place pour l'évaluation, j'ai donc eu le privilège de participer à la dégustation. Nous devions tenir chacun des échantillons devant la lumière de lampes de poche plutôt que de chandelles, car les membres croient que cette lumière est plus uniforme. Puis il nous fallait goûter. Pour moi, tous les vinaigres étaient délicieux, il m'était donc impossible d'attribuer une note aux extraordinaires sensations qu'éprouvaient mes papilles, mais les autres s'acquittaient de leur travail de façon appliquée : ils évaluaient, faisaient la moyenne des points et discutaient des résultats. En plus de noter les échantillons sur l'aspect visuel, ils jugeaient aussi chacun des échantillons sur son arôme et enfin sur son goût. En théorie, la loi stipule qu'il y a seulement deux types de produit, les vinaigres de 12 ans et ceux de 25 ans. Mais les producteurs de Reggio Emilia ont ajouté une troisième catégorie, ils distinguent les vinaigres par des capsules de couleurs différentes : la capsule rouge (vinaigre traditionnel âgé de 12 ans), la capsule argent (vinaigre de qualité supérieure, âgé de 20 à 25 ans) et la capsule dorée (l'*extravecchio,* vinaigre âgé de 30 à 40 ans). Les producteurs ont ensuite la permission de faire la mise en bouteille dans leurs propres ateliers et de sceller les bouteilles avec de la cire à cacheter. Le flacon de 100 ml est une longue bouteille élancée, semblable à un vase, qui comporte un bouchon visible scellé avec de la cire à cacheter rouge. L'étiquette du Consortium de Reggio Emilia est ronde et possède un logo fait des lettres AB. Reggio Emilia tient aussi chaque année un concours de dégustation appelé Palio Matilde. Récemment, les juges ont ajouté une nouvelle catégorie de notation, soit les données des analyses chimiques.

À la fin des années 80, en dépit des pressions exercées par la Consorteria et les deux consortiums, la confusion régnait sur la définition du produit.

Le produit traditionnel est toujours appelé *aceto,* il peut donc être vendu seulement sous le nom de vinaigre. Mais le travail s'est poursuivi pour le nommer condiment, une appellation qui lui permettrait d'être vendu sur le marché international comme un produit commercial. Le 3 mars 1987, un décret ministériel a établi les normes de production et de contrôle de la qualité et a reconnu officiellement le vinaigre balsamique comme un condiment. Conformément à la loi, dans les deux provinces, le produit fini doit avoir été fabriqué selon ces directives : il doit être fait avec du moût de raisins bien spécifiques qui poussent dans la région et qui est cuit dans un récipient posé directement sur une flamme. Le vieillissement doit s'effectuer dans au moins 3 fûts de bois pendant un minimum de 12 ans.

Encore une fois, d'astucieux producteurs de vinaigre industriel ont trouvé une échappatoire et ont créé des mélanges en utilisant un petit pourcentage de moût cuit qui a vieilli seulement pendant la période minimum. Pour ajouter à la confusion, les producteurs de vinaigres industriels ont mis sur pied leur propre consortium, le Consorzio per la Tutela di Aceto Balsamico di Modena.

Les batailles juridiques en cours ne sont pas moins surprenantes. Tout produit qui n'entre pas directement dans la catégorie de l'Aceto Balsamico di Modena, de l'Aceto Balsamico Tradizionale di Modena ou de l'Aceto Balsamico Tradizionale di Reggio Emilia est un produit qui est considéré comme illégal. Et les contrefaçons abondent.

Comment acheter du vinaigre balsamique
On ne peut confondre le vinaigre balsamique traditionnel de Modène et celui de Reggio Emilia. Mais pour être réellement sûr de la provenance du produit, il faut regarder le logo de chacun des consortiums, tel que décrit plus haut.

Déterminer la qualité parmi les bouteilles de vinaigre produit de façon industrielle, soit l'Aceto Balsamico di Modena, est une question délicate. L'expression « vieilli dans des fûts de bois » peut signifier bien des choses. À moins que l'on spécifie pendant combien d'années le vinaigre a vieilli, cela peut tout simplement vouloir dire que le vinaigre — ou même une partie seulement — a séjourné dans des fûts de bois pendant une période aussi courte qu'un mois. Il arrive souvent que des copeaux de bois soient ajoutés au vinaigre pendant le vieillissement et ce, afin de donner au produit des arômes associés aux vinaigres traditionnels. Parfois, les fûts sont tellement grands que nous pouvons nous demander si le vinaigre qui est au centre est déjà entré en contact avec le bois. Le prix peut donner une indication de la qualité, mais il faut se souvenir qu'un bel emballage augmente aussi le prix du produit. Il faut lire la liste des ingrédients — si le produit a été fabriqué avec du moût cuit, l'étiquette le mentionnera. S'il contient un colorant ou un arôme de caramel, cela doit aussi être mentionné.

Il n'est pas rare de trouver du « vinaigre balsamique » qui a été mis en bouteille aux États-Unis. Ce n'est sûrement pas un produit de la meilleure qualité. La liste des ingrédients mentionne seulement qu'il contient du « vinaigre balsamique de Modène », plutôt que d'énumérer tous les ingrédients, une façon détournée d'éviter de parler des additifs. Les bouteilles exportées portent un code API (Aceti Produzione Imbottigliamento) pour identifier où le vinaigre a été embouteillé. Les vinaigres de Modène sont donc identifiés par API MO et ceux de Reggio Emilia par API RE.

Comment conserver le vinaigre balsamique

Puisque le vinaigre balsamique a été fabriqué à la lumière et exposé à de grands écarts de température, ces éléments n'altéreront pas forcément ses propriétés lors de la conservation. La meilleure façon de le conserver reste sans doute de le mettre dans un placard frais et sombre. Il faut garder la bouteille fermée hermétiquement et hors d'atteinte des personnes qui ne connaissent pas bien le produit.

Comment cuisiner avec le vinaigre balsamique

Le goût du vinaigre balsamique traditionnel peut varier. Certains sont plus acides et rehaussent les plats salés, tandis que d'autres, plus sucrés et plus boisés, sont excellents dans les desserts ou comme digestifs. Dans tous les cas, le vinaigre balsamique traditionnel doit être servi goutte à goutte. C'est un liquide trop précieux pour le mélanger à une vinaigrette, à moins de posséder sa propre vinaigrerie! Dans un élan de prodigalité, on pourrait l'utiliser pour rehausser une mayonnaise, mais la saveur raffinée du vinaigre balsamique traditionnel se perdrait dans une préparation aussi riche. On ne doit jamais cuire le vinaigre, mais plutôt l'ajouter juste au moment de servir.

Les recettes qui suivent illustrent clairement différents emplois de l'Aceto Balsamico di Modena et de l'Aceto Balsamico Tradizionale. Certains chefs recommandent de créer un substitut au vinaigre balsamique traditionnel en faisant réduire l'Aceto Balsamico di Modena à feu élevé jusqu'à ce qu'il soit assez épais et en ajoutant parfois de la cassonade. On doit se rappeler que la plupart des bouteilles d'Aceto Balsamico di Modena contiennent du vinaigre de vin et, selon la qualité du produit, le faire réduire peut se comparer à faire réduire du vinaigre de vin. Dans la majorité des cas, le produit sera trop fort, trop acide et à des années-lumière du produit traditionnel que l'on essaie d'imiter. Si l'on ne peut trouver un Aceto Balsamico di Modena de bonne qualité qui contient peu ou pas de vinaigre de vin, on ne doit pas essayer de l'imiter. Ou l'on utilise le produit traditionnel ou l'on accepte la différence de goût du produit industriel.

On peut cependant employer l'Aceto Balsamico di Modena comme un vinaigre de vin dans les salades, les marinades et pour rehausser les sauces. On peut aussi s'en servir comme condiment, mélangé à des légumes grillés, à des pâtes ou versé en filet sur des viandes rôties. En général, il est préférable de ne pas l'utiliser dans les desserts.

La meilleure utilisation du vinaigre balsamique traditionnel est comme condiment, simplement versé en filet sur un grand nombre d'aliments, à n'importe quel moment du repas, ou même siroté en digestif. On recommande d'en servir des portions de ½ c. à café (½ c. à thé). Comme condiment, on utilise juste assez de vinaigre pour rehausser l'aliment, mais pas trop, pour ne pas tuer les autres saveurs.

Pour
commencer

Trempette aux légumes à l'italienne

Traditionnellement, ce plat que l'on appelle pinzimonio *est un assortiment de divers légumes de saison disposés sur un plateau. On sert ces légumes accompagnés de petits bols d'une huile d'olive extra vierge bien fruitée, assaisonnée de sel et de poivre fraîchement moulu, dans laquelle on trempe les légumes. Ici, on ajoute un condiment supplémentaire, le vinaigre balsamique !*

*1 poivron rouge, évidé et coupé
en lanières de 1,2 cm (¹/₂ po) de largeur
3 carottes pelées et coupées
dans le sens de la longueur
en lanières de 1,2 cm (¹/₂ po) de largeur
1 concombre pelé et coupé
dans le sens de la longueur
en lanières de 1,2 cm (¹/₂ po) de largeur
2 branches de céleri coupées
dans le sens de la longueur
en lanières de 1,2 cm (¹/₂ po) de largeur
250 ml (1 tasse) d'huile d'olive extra vierge
2 c. à café (2 c. à thé) d'Aceto Balsamico
Tradizionale
Sel et poivre fraîchement moulu, au goût*

Disposer les légumes sur un plat de service et le placer au centre de la table.

Choisir 4 petits bols et verser dans chacun d'entre eux 60 ml (¹/₄ tasse) d'huile d'olive. Ajouter ¹/₂ c. à café (¹/₂ c. à thé) de vinaigre balsamique, mais ne pas remuer.

Présenter à chacun des invités un petit bol dans lequel il pourra tremper ses légumes, pour les saler et les poivrer au goût.

4 portions

Pâtes à la chapelure, nageant dans le bouillon

Cette soupe, appelée passatelli in brodo *en italien, est un plat vite fait, et c'est une façon créative d'utiliser les restes de pain, mais il faut s'assurer que la chapelure est très fine. Si l'on ne possède pas de tamis, on peut passer la pâte par les grands trous d'une râpe. On obtiendra alors de petites nouilles qui cuiront en moins d'une minute.*

120 g (1 tasse) + 3 c. à soupe de chapelure en poudre
Sel et poivre fraîchement moulu, au goût
2 c. à café (2 c. à thé) de zeste d'orange finement râpé
3 œufs
1 c. à soupe d'Aceto Balsamico di Modena
40 g (¹/₃ tasse) de Parmigiano Reggiano râpé
2 c. à soupe de beurre non salé à température de la pièce
1,5 litre (6 tasses) de Bouillon de poulet (voir p. 106)

Dans un bol moyen, mettre la chapelure, le sel, le poivre et le zeste d'orange. Ajouter les œufs et le vinaigre balsamique en prenant bien soin d'incorporer le tout. Ajouter ensuite le Parmigiano Reggiano et le beurre en mélangeant jusqu'à la formation d'une pâte lisse, mais pas collante.

Dans une grande marmite, porter le bouillon à ébullition. Passer la pâte à travers un tamis et la laisser tomber directement dans le bouillon. Réduire à feu doux et cuire de 3 à 4 minutes ou jusqu'à ce que la pâte soit cuite al dente. Verser dans des bols à soupe et servir immédiatement.

4 portions

La crème d'oignons et de pommes de terre de chez Francescana

Après avoir travaillé plusieurs mois à New York, Massimo Bottura a ramené une petite parcelle d'Amérique chez Francescana, le charmant restaurant qu'il possède à Modène. Sur chacune des tables, on peut admirer des assiettes aux couleurs vives, des souvenirs d'Amérique. La nourriture est d'inspiration classique, mais le décor est contemporain.

Bouillon de chapon

3,8 litres (15 tasses) d'eau froide
1 chapon ou un poulet de 1,8 kg (4 lb),
coupé en morceaux
2 grosses carottes pelées et coupées
en morceaux de 2,5 cm (1 po)
1 gros oignon coupé en morceaux
de 2,5 cm (1 po)
2 branches de céleri coupées en morceaux
de 2,5 cm (1 po)
1 brin de persil
1 brin de thym
1 feuille de laurier

Soupe

3 c. à soupe d'huile d'olive extra vierge
et plus pour la garniture
4 oignons blancs moyens, hachés
8 échalotes hachées (le blanc seulement)
2 pommes de terre pelées et coupées en morceaux
de 1,2 cm ($1/2$ po)
1,2 litre (5 tasses) de bouillon de chapon
Sel et poivre blanc fraîchement moulu, au goût
Aceto Balsamico Tradizionale, au goût

Bouillon : Placer tous les ingrédients dans une grande marmite à l'épreuve de la corrosion et porter à ébullition.

Réduire à feu doux et poursuivre la cuisson, sans couvercle, pendant 3 heures. Écumer le bouillon de temps en temps.

Filtrer le bouillon, puis jeter les légumes et les morceaux de chapon. Laisser refroidir le bouillon avant de le mettre au réfrigérateur. Quand il est froid, enlever la couche de gras.

3 litres (12 tasses)

Soupe : À feu doux, faire chauffer l'huile d'olive dans une grande casserole en métal, puis ajouter les oignons et les échalotes. Cuire ensuite 40 minutes en brassant de temps en temps sans laisser brunir.

Dans une casserole couverte, saler et cuire les pommes de terre à la vapeur — dans le haut d'un bain-marie ou dans une marguerite au-dessus de l'eau bouillante — environ 10 minutes ou jusqu'à ce qu'elles soient tendres. Ajouter les pommes de terre aux oignons et verser le bouillon graduellement. Cuire jusqu'à ce que le tout soit bien chaud. Passer au mélangeur ou au robot culinaire jusqu'à l'obtention d'une purée onctueuse, répéter l'opération plusieurs fois, si nécessaire. Passer au tamis fin. Saler et poivrer.

Mettre dans des bols à soupe peu profonds que l'on aura pris soin de réchauffer, puis verser un filet d'huile d'olive et de vinaigre balsamique dans chaque bol.

4 portions

Bouchées de polenta

*Cette recette permet de faire des hors-d'œuvre dont les invités se souviendront longtemps.
Et, ce qui ne gâche rien, on peut les préparer d'avance.*

*2 c. à soupe d'huile d'olive
et plus pour le plat de cuisson
40 g (¼ tasse) d'oignon finement haché
1 gousse d'ail hachée
550 ml (2 ¼ tasses) de Bouillon de poulet
(voir p. 106)
90 g (¾ tasse) de farine de maïs
1 c. à soupe de persil frais, haché
½ c. à café (½ c. à thé) de thym frais, émietté
Sel et poivre fraîchement moulu, au goût
60 g (2 oz) de fromage de chèvre blanc, frais,
coupé en carrés de 1,2 cm (½ po)
1 c. à soupe d'Aceto Balsamico Tradizionale*

Huiler légèrement un plat carré de 20 cm (8 po), allant au four. Dans une grande casserole, chauffer l'huile à feu moyen. Ajouter l'oignon et le faire sauter de 4 à 5 minutes ou jusqu'à ce qu'il soit doré. Ajouter l'ail et le faire sauter jusqu'à ce qu'il soit ramolli, mais pas doré.

Verser le bouillon et porter à ébullition. Incorporer graduellement la farine de maïs au bouillon, en remuant constamment. Réduire à feu moyen et poursuivre la cuisson environ 30 minutes en continuant à brasser ou jusqu'à ce que la polenta se détache facilement des côtés de la casserole.

Incorporer le persil, le thym, le sel et le poivre. Verser dans le plat allant au four, puis égaliser la surface à l'aide d'une spatule. Réserver et laisser refroidir.

Juste avant de servir, couper la polenta en carrés de 2,5 cm (1 po). Couronner chacun des carrés d'un morceau de fromage de chèvre et faire un petit trou dans le fromage avec le bout d'une cuillère de bois.

Disposer les bouchées dans un plat de service et verser une goutte de vinaigre balsamique dans le petit trou de chacun des morceaux de fromage. Servir à température de la pièce.

6 portions

Piadina au prosciutto et à la roquette

En Émilie-Romagne, les voyageurs en quête d'un repas sur le pouce ou d'un casse-croûte sont choyés. En effet, de petits camions parsèment le bord des routes, leur offrant un bel assortiment de sandwiches chauds faits de pain frais. La piadina, *un pain grillé renfermant une variété de garnitures, est l'un de mes favoris.*

265 g (2 tasses) de farine tout usage non traitée
½ c. à café (½ c. à thé) de sel
½ c. à café (½ c. à thé) de bicarbonate de soude
3 c. à soupe de beurre non salé
125 ml (½ tasse) d'eau chaude
1 c. à café (1 c. à thé) d'Aceto Balsamico di Modena
3 c. à soupe d'huile d'olive extra vierge et plus pour la cuisson
60 g (1 tasse) de roquette grossièrement hachée
Sel et poivre fraîchement moulu, au goût
8 tranches minces de jambon de Parme (prosciutto di Parma)

Dans un grand bol, mettre la farine, le sel et le bicarbonate de soude. Utiliser un coupe-pâte ou deux couteaux pour couper le beurre et le répartir également dans la pâte jusqu'à ce que la texture du mélange ressemble à celle d'une chapelure très grossière. À l'aide d'une fourchette, remuer en ajoutant juste assez d'eau pour humecter le mélange. Former une boule avec la pâte. Sur une surface légèrement enfarinée, pétrir la pâte jusqu'à ce qu'elle soit lisse et qu'elle ne soit plus collante. Diviser la pâte en 8 parties égales.

Abaisser la pâte en cercles de 15 cm (6 po) d'environ 0,3 cm (⅛ po) d'épaisseur.

Dans un petit bol, battre le vinaigre balsamique dans l'huile. Ajouter la roquette en remuant pour bien l'enduire de vinaigrette. Saler et poivrer, puis réserver.

Couvrir le fond d'un grand poêlon d'un peu d'huile d'olive et chauffer à feu moyen-élevé. Cuire les cercles de pâte environ 1 minute de chaque côté ou jusqu'à ce qu'ils soient légèrement dorés.

Pendant que c'est encore chaud, garnir chaque morceau de pain de jambon de Parme et d'une pincée de roquette. Plier en deux et manger la *piadina* immédiatement.

4 portions

DONNER LE NOM DE VINAIGRE
AU VINAIGRE BALSAMIQUE
(QUI TIENT BEAUCOUP PLUS DU BAUME),
C'EST COMME DIRE DE PAVAROTTI
QU'IL EST UN CHANTEUR DE RUE.

FRED PLOTKIN,
ITALY FOR THE GOURMET TRAVELER

Crostini aux foies de poulet

Ce hors-d'œuvre traditionnel est souvent fait avec du jus et du zeste de citron.
Quand on remplace le citron par du vinaigre balsamique, on lui ajoute un petit goût sucré.

1 c. à soupe de beurre non salé
2 c. à soupe d'huile d'olive
2 c. à soupe de pancetta
coupée finement
½ oignon coupé finement
170 g (6 oz) de foies de poulet
60 ml (¼ tasse) de vin blanc sec
2 c. à soupe d'Aceto Balsamico di Modena
½ c. à café (½ c. à thé) de feuilles de thym frais,
émiettées
1 c. à soupe de persil plat, frais, haché
plus 12 feuilles pour la garniture
Sel et poivre fraîchement moulu, au goût
12 tranches de pain grillées
1 pomme Red Delicious avec la pelure,
évidée et coupée en tranches minces

Dans une grande sauteuse ou dans un poêlon, faire fondre le beurre et l'huile d'olive à feu moyen. Ajouter la pancetta et l'oignon, puis faire sauter de 4 à 5 minutes ou jusqu'à ce que l'oignon soit doré. Incorporer les foies de poulet et le vin blanc. Cuire de 12 à 15 minutes ou jusqu'à ce que les foies soient tout juste rosés à l'intérieur. Verser le vinaigre balsamique et remuer jusqu'à ce que les petits morceaux collés au fond de la poêle se détachent. Passer le tout au mélangeur ou au robot culinaire jusqu'à l'obtention d'une purée. Remettre le mélange dans le poêlon, puis ajouter le thym, le persil, le sel et le poivre. Chauffer à feu doux et laisser mijoter environ 5 minutes. Retirer du feu et laisser refroidir.

Juste avant de servir, disposer le mélange de foies de poulet sur les tranches de pain grillées. Décorer chaque tranche de pain d'une feuille de persil et d'une tranche de pomme.

6 portions

La salade de radicchio des Zanasi au Parmigiano Reggiano et au vinaigre balsamique

Valeriano Zanasi et sa femme Orianna Cuoghi possèdent une vinaigrerie traditionnelle dans leur maison. Ils font du vinaigre balsamique pour leur propre consommation et pour en offrir. Cette salade est l'illustration parfaite que lorsque l'on utilise des ingrédients exceptionnels, la préparation la plus simple est celle qui convient le mieux.

*Les feuilles de 2 pommes de radicchio
Sel au goût
3 c. à café (3 c. à thé) d'Aceto Balsamico
Tradizionale ou quantité au goût
80 ml (¹/₃ tasse) d'huile d'olive extra vierge
ou quantité au goût
115 g (4 oz) de Parmigiano Reggiano
coupé en tranches très fines
à l'aide d'un coupe-fromage*

Disposer les feuilles de radicchio dans un saladier. Saupoudrer les feuilles de sel, ajouter la moitié du vinaigre balsamique et bien remuer. Verser l'huile généreusement, puis remuer un peu. Parsemer la salade de Parmigiano Reggiano, puis verser le reste du vinaigre balsamique en filet sur le fromage. Servir immédiatement.

4 portions

Foie gras à la moutarde de Crémone

La ville de Crémone, en Italie, au nord de la Lombardie, est renommée pour sa moutarde,
qui est faite de fruits confits macérés dans un mélange de sucre et d'huile aromatisé de moutarde.
On peut la trouver dans les épiceries italiennes ou dans les boutiques spécialisées.
Elle se vend en pots ou dans des boîtes joliment décorées.
On peut aussi remplacer la moutarde de Crémone par son chutney à la mangue préféré.

340 g (12 oz) de foie gras frais, froid
Farine en quantité suffisante
Sel et poivre fraîchement moulu, au goût
1 c. à soupe d'huile d'olive extra vierge
60 ml (¹/₄ tasse) d'Aceto Balsamico di Modena
250 ml (1 tasse) de Fond de veau
(voir p. 107)
60 ml (¹/₄ tasse) de moutarde de Crémone
grossièrement hachée

Couper le foie gras en tranches de 1,2 cm (¹/₂ po) d'épaisseur. Mettre la farine dans un récipient peu profond et y ajouter le sel et le poivre. Saupoudrer légèrement de farine chaque côté des tranches de foie gras.

Couvrir le fond d'une sauteuse ou d'un poêlon d'huile d'olive et faire chauffer à feu élevé. Faire sauter les tranches de foie environ 30 secondes de chaque côté, jusqu'à ce qu'elles soient légèrement dorées. Égoutter ensuite les tranches sur des feuilles de papier essuie-tout. Réserver et garder au chaud.

Chauffer encore le poêlon, cette fois à feu moyen, ajouter le vinaigre balsamique et remuer pour enlever les particules qui ont adhéré au fond de la poêle. Verser le fond de veau et chauffer pour le faire réduire de moitié. Saler et poivrer au goût.

Répartir la sauce également dans 4 assiettes de service. Déposer les tranches chaudes de foie sur la sauce et garnir chaque portion de 1 c. à soupe de moutarde de Crémone.

4 portions

Salade toscane au pain

Cette salade, appelée panzanella *en italien, est faite avec des restes de pain. Traditionnellement, on la préparait avec du vinaigre de vin rouge mais, ici, on utilise du vinaigre balsamique. Si l'on prend du pain frais, le faire griller avant de le couper. Il absorbera la vinaigrette une fois dans la salade. Il faut aussi s'assurer de servir ce plat à température de la pièce.*

100 g (3 tasses) de cubes de pain italien de 1,2 cm (½ po), vieux d'une journée
2 tomates mûres, épépinées et coupées en morceaux de 1,2 cm (½ po)
1 concombre pelé, épépiné et coupé en morceaux de 1,2 cm (½ po)
15 g (½ tasse) de poivron vert, haché
85 g (½ tasse) d'oignon rouge finement haché
3 gousses d'ail hachées
60 ml (¼ tasse) d'Aceto Balsamico di Modena
45 g (1 tasse) de feuilles de basilic frais plus 3 brins pour la garniture
80 ml (⅓ tasse) d'huile d'olive
Sel et poivre fraîchement moulu, au goût

Dans un bol, mélanger le pain, les tomates, le concombre, le poivron et l'oignon.

Dans un mélangeur ou au robot culinaire, mettre l'ail, le vinaigre balsamique et le basilic et mélanger jusqu'à l'obtention d'une purée onctueuse. Pendant que l'appareil est en marche, verser graduellement l'huile d'olive en filet. Saler et poivrer.

Incorporer la vinaigrette au mélange de légumes et de pain, puis remuer le tout. Garnir de brins de basilic et servir immédiatement.

6 portions

Asperges rôties

Dans ce hors-d'œuvre qui se prépare en un clin d'œil, on peut remplacer les asperges
par d'autres légumes de saison. Par exemple, on peut utiliser des courgettes,
des rondelles de carotte ou des bouquets de brocoli. On doit alors calculer le temps
de blanchiment des légumes selon leur grosseur, en prenant soin de ne pas trop les faire cuire.

450 g (1 lb) de pointes d'asperge, parées
60 ml (¼ tasse) d'huile d'olive extra vierge
et plus pour la tôle à biscuits
1 c. à soupe d'Aceto Balsamico Tradizionale
Sel et poivre fraîchement moulu, au goût

Chauffer le four à 200 °C (400 °F). Verser un peu d'huile sur une tôle à biscuits.

Faire blanchir les asperges à l'eau bouillante salée pendant 30 secondes. Pour interrompre la cuisson, les mettre immédiatement dans de l'eau glacée. Les égoutter, puis les déposer sur la tôle huilée.

Verser les 60 ml (¼ tasse) d'huile d'olive en filet sur les asperges, puis les faire rôtir au four de 12 à 15 minutes ou jusqu'à ce qu'elles soient tendres et légèrement grillées.

Disposer les asperges sur un plat de service, puis verser le vinaigre balsamique en filet. Saler et poivrer au goût.

6 portions

LE VINAIGRE BALSAMIQUE
PROVIENT DU SUCRE,
ET NON DE L'ALCOOL.

RENATO BERGONZINI,
MODÈNE

Les plats
d'accompagnement

Polenta et sa dentelle de pancetta et de bette à carde

Cette polenta est assez nourrissante pour qu'on puisse la servir comme plat principal le midi.
Si on la sert avec une salade et du pain frais, on a alors un repas substantiel.

2 c. à soupe d'huile d'olive
85 g (½ tasse) d'oignon coupé finement
60 g (2 oz) de pancetta coupée finement
2 gousses d'ail hachées
450 g (1 lb) de feuilles de bettes à carde,
en julienne
1,1 litre (4 ½ tasses) de Bouillon de poulet
(voir p. 106)
190 g (1 ½ tasse) de farine de maïs
Sel et poivre fraîchement moulu, au goût
30 g (¼ tasse) de Parmigiano Reggiano
fraîchement râpé
2 c. à soupe de feuilles de persil plat, frais, hachées
1 c. à soupe d'Aceto Balsamico Tradizionale

Dans une sauteuse ou dans un poêlon, faire chauffer l'huile à feu moyen et cuire l'oignon et la pancetta de 4 à 5 minutes jusqu'à ce que l'oignon soit doré. Ajouter l'ail et cuire jusqu'à ce qu'il soit ramolli sans être doré. Incorporer les bettes et les cuire jusqu'à ce que tout le liquide soit évaporé. Réserver et laisser refroidir.

Dans une grande casserole profonde, porter le bouillon à ébullition. En brassant constamment, ajouter peu à peu la farine de maïs. Réduire à feu moyen et poursuivre la cuisson en continuant à remuer pendant environ 30 minutes ou jusqu'à ce que le mélange se détache facilement des parois de la casserole.

En continuant à brasser, ajouter à la casserole le mélange de bettes. Saler et poivrer au goût. Transférer sur un plat de service chaud. Parsemer de Parmigiano Reggiano, de persil haché et de vinaigre balsamique. Servir immédiatement.

8 portions

Crêpes aux champignons frais, au fromage de chèvre et au vinaigre balsamique

En saison, les cèpes frais sont un vrai délice dans ces crêpes. Si l'on ne peut en trouver, il est possible d'utiliser un mélange de champignons shiitake, de chanterelles et de portobellos.

Crêpes

130 g (1 tasse) de farine tout usage non traitée
250 ml (1 tasse) de lait
3 gros œufs
2 c. à soupe de beurre non salé, fondu
plus 4 c. à soupe de beurre fondu
pour cuire les crêpes
2 c. à café (2 c. à thé) de thym frais, émietté

Garniture de champignons

3 c. à soupe d'huile d'olive
1 poireau (le blanc seulement), tranché mince
450 g (1 lb) de cèpes frais, tranchés mince
115 g (4 oz) de fromage de chèvre blanc,
frais, émietté
Sel et poivre fraîchement moulu, au goût
1 c. à soupe d'Aceto Balsamico Tradizionale

Crêpes : Dans un mélangeur, mettre la farine, le lait, les œufs et 2 c. à soupe de beurre fondu, puis mêler jusqu'à l'obtention d'une texture homogène. Retirer la pâte de l'appareil, puis incorporer le thym. Couvrir et placer la pâte au réfrigérateur pendant au moins 1 heure.

À feu moyen, chauffer une poêle à crêpe antiadhésive ou un poêlon de 15 cm (6 po), puis l'enduire de beurre fondu. Brasser la pâte et en verser 60 ml (¼ tasse) dans la poêle. Incliner la poêle pour que la pâte se rende jusqu'aux bords en formant une mince couche, égale partout. À l'aide d'une spatule, détacher les bords et cuire pendant 1 minute ou jusqu'à ce que la surface soit cuite et sèche. Retourner la crêpe et cuire de 15 à 30 secondes ou jusqu'à ce qu'elle soit légèrement dorée. Répéter l'opération pour la pâte qui reste et empiler les crêpes en les séparant avec du papier sulfurisé. Mettre au four à basse température jusqu'à ce qu'elles soient prêtes à utiliser.

Garniture : Dans une sauteuse ou dans un poêlon, chauffer l'huile d'olive à feu moyen et y faire sauter le poireau pendant 2 à 3 minutes ou jusqu'à ce qu'il soit ramolli. Ajouter les champignons et cuire de 8 à 10 minutes ou jusqu'à ce que presque tout le jus de cuisson des champignons soit évaporé. Incorporer la moitié du fromage de chèvre, puis saler et poivrer. Retirer du feu.

Dans un petit bol, mélanger le reste du fromage de chèvre et le vinaigre balsamique. Réserver.

Pour faire les crêpes, étendre 2 c. à soupe du mélange de champignons sur la moitié de chacune des crêpes. Rouler chaque crêpe pour former un cylindre. Disposer sur un plat de service chaud, garnir du mélange fromage de chèvre-vinaigre balsamique et servir immédiatement.

12 crêpes ou 6 portions

Pommes de terre crémeuses au vinaigre balsamique

*Plat à la fois riche et délicat, ces pommes de terre accompagnent merveilleusement bien
les viandes rôties ou les fruits de mer grillés. On peut les préparer d'avance et les réchauffer,
puis ajouter du Parmigiano Reggiano au gratin juste avant de servir.*

Huile en quantité suffisante
*675 g (1 ¹/₂ lb) de pommes de terre pelées et
coupées en tranches de 0,5 cm (¹/₄ po) d'épaisseur*
3 c. à soupe de beurre non salé
Sel et poivre blanc fraîchement moulu, au goût
250 ml (1 tasse) de lait
1 feuille de laurier
*30 g (¹/₄ tasse) de Parmigiano Reggiano
fraîchement râpé*
1 c. à soupe d'Aceto Balsamico Tradizionale

Préchauffer le four à 190 °C (375 °F). Huiler légèrement une cocotte de 2 litres (8 tasses).

Dans la cocotte, former une couche avec la moitié des tranches de pomme de terre. Parsemer de la moitié du beurre. Saler et poivrer. Former une autre couche avec le reste des pommes de terre et parsemer du reste du beurre. Saler et poivrer de nouveau, au goût. Réserver.

Verser le lait dans une petite casserole et ajouter le laurier. Chauffer jusqu'à ce que des bulles se forment sur les parois de la casserole. Retirer le laurier et verser le lait sur les pommes de terre.

Placer un couvercle ou du papier d'aluminium sur la casserole, en veillant à ce que le papier ne touche pas les aliments. Cuire au four pendant 40 minutes ou jusqu'à ce que les pommes de terre soient tendres lorsqu'on les pique avec une fourchette. Découvrir la casserole et parsemer de Parmigiano Reggiano. Placer sous le gril 3 à 4 minutes ou jusqu'à ce que le fromage soit fondu et doré. Juste avant de servir, verser le vinaigre balsamique en filet.

4 portions

Rouleaux d'aubergine

On peut aussi servir ces rouleaux en hors-d'œuvre, sans la garniture de tomate.
On les dispose alors sur un plateau que l'on passe à ses invités
lors d'une réception — un excellent amuse-gueule!

1 grosse aubergine pelée et coupée
dans le sens de la longueur en tranches
de 0,5 cm (¹/₄ po) d'épaisseur
Sel de mer pour saupoudrer
Huile d'olive extra vierge pour badigeonner
plus 3 c. à soupe d'huile d'olive
260 g (1 tasse) de ricotta
2 gousses d'ail hachées
1 c. à soupe de basilic frais, haché
plus 1 c. à soupe de basilic frais
coupé en julienne
2 c. à soupe d'Aceto Balsamico Tradizionale
Sel et poivre fraîchement moulu, au goût
1 grosse tomate, pelée,
épépinée et coupée en dés
(voir p. 107)

Allumer les briquettes de charbon de bois ou le gaz du barbecue ou bien faire chauffer un gril.

Parsemer les deux côtés des tranches d'aubergine de sel, puis les laisser dégorger sur une grille métallique pendant 30 minutes. Passer rapidement les tranches sous l'eau pour enlever le sel, puis les assécher à l'aide d'un papier essuie-tout. Badigeonner légèrement d'huile d'olive. Faire griller les tranches d'aubergine des deux côtés jusqu'à ce qu'elles soient légèrement dorées.

Réserver et laisser refroidir.

Dans un petit bol, mélanger la ricotta, l'ail, le basilic haché et 1 c. à soupe de vinaigre balsamique, puis saler et poivrer. Réfrigérer pendant environ 1 heure.

Étendre une mince couche du mélange de fromage sur chaque tranche d'aubergine, puis rouler chaque tranche dans le sens de la longueur pour former un rouleau serré. Disposer ensuite les rouleaux sur un plateau, la couture vers le bas, puis réfrigérer pendant 1 heure.

Pour servir, couper les rouleaux en diagonale en tranches de 2,5 cm (1 po) d'épaisseur, puis les mettre sur un plateau. Laisser réchauffer à température de la pièce.

Mélanger la tomate, 3 c. à soupe d'huile d'olive, le basilic en julienne et la dernière cuillère à soupe de vinaigre balsamique. Saler et poivrer au goût, puis verser à la cuillère sur les aubergines.

4 portions

ENTRE LE VIN ET LE RAISIN,

IL Y A UNE RELATION DIRECTE.

MAIS ENTRE LE VINAIGRE ET LE RAISIN,

IL Y A L'INTERVENTION DE L'HOMME.

FERDINANDO CAVALLI,

SCANDIANO

Petits oignons marinés au vinaigre balsamique de la Villa Gaidello

Paola Bini dirige la Villa Gaidello, une auberge et un restaurant tout simplement merveilleux, à Castelfranco Emilia. Elle y fabrique de succulentes confitures maison, comme ces petits oignons au vinaigre balsamique.

1 litre (4 tasses) de vinaigre de vin blanc
3 ½ c. à soupe de sucre cristallisé
Une pincée de gros sel
900 g (2 lb) de petits oignons,
d'environ 4 cm (1 ½ po) de diamètre,
parés et pelés
1 litre (4 tasses) d'Aceto Balsamico di Modena
3 ½ c. à soupe de cassonade pâle, bien tassée

Dans une grande marmite à l'épreuve de la corrosion, mélanger le vinaigre de vin, le sucre et le sel. Porter à ébullition, ajouter les oignons et cuire de 2 à 3 minutes.

Dans une casserole moyenne à l'épreuve de la corrosion, mêler le vinaigre balsamique et la cassonade. À feu moyen, chauffer jusqu'à ce que le sucre soit dissous, mais ne pas faire bouillir.

Égoutter les oignons et les répartir dans 5 bocaux très chauds, stérilisés, de 500 ml (2 tasses) chacun. Couvrir les oignons du mélange de vinaigre balsamique chaud. Fermer les bocaux hermétiquement et réfrigérer : on peut les conserver jusqu'à un mois. On peut aussi plonger les bocaux dans l'eau chaude, selon le mode d'emploi du fabricant.

5 bocaux de 500 ml (2 tasses)

Peperonata

Ce plat s'améliore avec le temps. On peut donc le préparer un ou deux jours à l'avance.
Dans l'intervalle, les saveurs se marient et lorsqu'on le fait réchauffer, il est encore meilleur.

2 gros oignons doux, coupés en tranches
5 c. à soupe de beurre non salé
5 c. à soupe d'huile d'olive extra vierge
1 poivron jaune, évidé et coupé en lanières
1 poivron rouge, évidé et coupé en lanières
1 poivron vert, évidé et coupé en lanières
5 tomates italiennes roma, de type allongé,
pelées, épépinées et grossièrement coupées
(voir p. 107)
1 c. à soupe d'Aceto Balsamico di Modena
Sel au goût
1 c. à soupe d'eau

Mettre les oignons dans une grande casserole et cuire à feu moyen environ 3 à 4 minutes jusqu'à ce que l'humidité soit évaporée. Incorporer le beurre et l'huile d'olive et cuire de 6 à 8 minutes ou jusqu'à ce que les oignons soient dorés. Ajouter les poivrons et les tomates. Cuire de 4 à 5 minutes ou jusqu'à ce que l'eau des légumes soit évaporée. Verser le vinaigre balsamique et saler. Cuire de 3 à 4 minutes ou jusqu'à ce que le vinaigre soit évaporé. Ajouter l'eau, couvrir et cuire 5 minutes ou jusqu'à ce que le tout soit bien chaud.

4 portions

Fèves des marais dans un bouillon parfumé au vinaigre balsamique

Le fait d'éplucher les grosses fèves, mais de laisser la peau sur certaines fèves plus petites, ajoute de la couleur et de la texture à ce plat.

900 g (2 lb) de fèves des marais, sans leur cosse
3 c. à soupe d'huile d'olive
1 oignon coupé en dés
1 petite carotte pelée et coupée finement
1 branche de céleri coupée finement
3 c. à soupe d'Aceto Balsamico di Modena
500 ml (2 tasses) de Riche bouillon de poulet
(voir p. 106)
Sel et poivre fraîchement moulu, au goût

Blanchir les fèves à l'eau bouillante salée pendant 1 minute, puis les placer immédiatement dans de l'eau avec de la glace. Éplucher les deux tiers des fèves en pinçant l'extrémité de chaque fève et en l'arrachant de la peau. Ne pas éplucher environ le tiers des fèves, les plus petites.

Dans une grande casserole, à feu moyen, chauffer l'huile et faire sauter l'oignon, la carotte et le céleri de 4 à 5 minutes ou jusqu'à ce qu'ils soient dorés. Verser le vinaigre balsamique, puis remuer pour décoller les petits morceaux au fond de la casserole. Verser le bouillon, puis amener à ébullition.

Ajouter les fèves et réduire à feu doux. Cuire de 5 à 7 minutes ou jusqu'à ce que les fèves soient bien chaudes. Saler et poivrer.

4 portions

Frittata quatre saisons

*Différents légumes — qui représentent chacune des saisons — embellissent ce magnifique plat d'œufs.
On y trouve des poivrons rouges pour l'été, des champignons pour l'automne,
des asperges pour le printemps et des pommes de terre pour l'hiver.*

6 œufs

1 c. à soupe de persil plat, frais, haché

Sel et poivre fraîchement moulu, au goût

3 c. à soupe d'huile d'olive

1 petit oignon coupé en dés

140 g (5 oz) de champignons, coupés en tranches

1 poivron rouge, évidé et coupé en tranches
de 0,5 cm (¼ po) d'épaisseur

225 g (8 oz) de pointes d'asperge blanchies

1 pomme de terre pelée, coupée de deux,
puis coupée en diagonale,
en tranches de 0,5 cm (¼ po) d'épaisseur,
et blanchie

30 g (¼ tasse) de Parmigiano Reggiano
fraîchement râpé

2 c. à café (2 c. à thé) d'Aceto Balsamico
Tradizionale

Chauffer le four à 220 °C (425 °F).

Dans un petit bol, battre légèrement les œufs. Ajouter le persil, puis saler et poivrer au goût. Réserver.

Dans une sauteuse moyenne allant au four ou dans un poêlon, faire chauffer l'huile et faire sauter l'oignon de 4 à 5 minutes, jusqu'à ce qu'il soit doré. Ajouter les champignons et cuire jusqu'à ce qu'ils soient ramollis et que le jus de cuisson soit évaporé. Les retirer à l'aide d'une écumoire et réserver.

Verser le mélange d'œufs dans le poêlon chaud et cuire de 3 à 4 minutes à feu moyen ou jusqu'à ce qu'il commence à peine à prendre.

Disposer chaque variété de légume sur les œufs dans les quatre sections du poêlon, comme sur la photo. Parsemer le tout de Parmigiano Reggiano et cuire au four de 10 à 15 minutes ou jusqu'à ce qu'un couteau que l'on insère au milieu en ressorte propre. Verser le vinaigre balsamique en filet. Servir immédiatement ou laisser refroidir à température de la pièce.

4 portions

TOUS LES BONS
VINAIGRES BALSAMIQUES
TRADITIONNELS ONT UNE ORIGINE
COMMUNE : LE RAISIN, LES FÛTS ET
LA MÉTHODE DE FABRICATION
ARTISANALE.

Les pâtes

Ravioli aux légumes d'été

Ce gros ravioli constitue une entrée élégante et colorée.

Farce et sauce
*60 ml (¼ tasse) d'huile d'olive extra vierge
plus 3 c. à soupe pour le mélange huile-vinaigre
½ oignon rouge coupé en petits dés
1 poivron rouge, évidé et coupé en petits dés
1 courgette coupée en petits dés
175 g (1 tasse) de maïs frais, en grains
Sel et poivre fraîchement moulu, au goût
1 c. à soupe de basilic frais, haché
130 g (½ tasse) de fromage ricotta
1 c. à café (1 c. à thé) de zeste de citron finement râpé*

*1 c. à soupe de jus de citron fraîchement pressé
1 c. à soupe d'Aceto Balsamico Tradizionale*

Préparation pour faire les pâtes
*450 g (1 lb) de préparation pour faire les pâtes
fraîches, avant de la passer dans la machine
pour la dernière fois (voir p. 105)
60 g (1 tasse) de feuilles de persil plat, frais
1 œuf battu avec 1 c. à café (1 c. à thé) d'eau
1 c. à soupe d'huile d'olive extra vierge
1 c. à soupe d'Aceto Balsamico Tradizionale*

Farce et sauce : Verser 60 ml (¼ tasse) d'huile d'olive dans une sauteuse ou dans un poêlon et chauffer à feu moyen. Y faire sauter l'oignon et le poivron de 3 à 4 minutes ou jusqu'à ce qu'ils soient ramollis, mais non dorés. Ajouter la courgette et le maïs, puis les faire sauter de 3 à 4 minutes ou jusqu'à ce qu'ils soient ramollis. Saler et poivrer. Retirer du feu et laisser refroidir.

Répartir les légumes dans deux bols. Ajouter le basilic, la ricotta, le zeste et le jus de citron dans un bol. Dans l'autre bol, verser les 3 c. à soupe d'huile d'olive et le vinaigre balsamique. Réserver.

Pâtes : Suivre la méthode pour faire les pâtes. Quand vient le moment de passer la pâte dans la machine pour la dernière fois, parsemer la moitié de la pâte de feuilles de persil, en formant une seule couche. Plier la pâte en deux et la passer de nouveau dans la machine à faire les pâtes. La couper ensuite en 12 carrés de 13 cm (5 po)

en prenant soin de ne pas couper les feuilles de persil. Réserver.

Sur 6 des carrés de pâte, déposer 2 grosses cuillerées à soupe du mélange légumes-ricotta. Badigeonner les côtés d'œuf battu avec l'eau, puis recouvrir chaque morceau d'un autre carré de pâte. Bien presser les côtés pour sceller les pâtes, en prenant soin de ne pas les briser.

Laisser tomber les pâtes dans une grande casserole d'eau bouillante salée. Cuire de 2 à 3 minutes ou jusqu'à ce que les raviolis soient al dente.

Égoutter les pâtes et les disposer sur des assiettes de service individuelles. À l'aide d'un couteau bien aiguisé, faire une petite incision sur le dessus pour que l'on voie la garniture. Répartir le mélange légumes-vinaigre balsamique autour de chaque ravioli, puis verser en filet l'huile d'olive et le vinaigre balsamique sur chaque portion. Servir immédiatement.

6 portions

Pansotti au gorgonzola dolcelatte, noix de Grenoble et vinaigre balsamique

*Le dolcelatte, ou lait sucré, qui est un type de gorgonzola plus crémeux et plus jeune,
fait une savoureuse garniture pour les pâtes à farcir comme les raviolis.
Si l'on utilise le gorgonzola ordinaire, il faut se rappeler qu'il est plus fort.
Pour une saveur plus douce, on peut le mélanger avec une petite quantité de ricotta.*

*170 g (6 oz) de gorgonzola dolcelatte,
à température de la pièce
2 c. à soupe de crème à 35 %
65 g (1/2 tasse) de noix de Grenoble grillées, hachées
(voir p. 107)
1 c. à café (1 c. à thé) de thym frais, émietté
Préparation pour faire les pâtes,
qui n'est pas encore passée dans la machine
(voir p. 105)
1 œuf battu avec 1 c. à café (1 c. à thé) d'eau
Huile d'olive extra vierge et Aceto Balsamico
Tradizionale, au goût*

Dans un petit bol, mélanger le gorgonzola et la crème, puis les battre ensemble jusqu'à ce que le mélange soit onctueux. Incorporer 30 g (1/4 tasse) de noix et le thym, puis bien mélanger.

Passer la pâte dans la machine, puis la couper en carrés de 7,5 cm (3 po). Couper chaque morceau en diagonale, pour former 2 triangles. Déposer 1 c. à café (1 c. à thé) du mélange de gorgonzola au milieu de chaque triangle. Badigeonner les bords d'œuf battu avec l'eau et plier les triangles en deux. Bien presser les bords pour sceller les triangles de pâte. Répéter l'opération pour les autres triangles.

Cuire les pâtes de 3 à 4 minutes à l'eau salée qui bout légèrement ou jusqu'à ce qu'elles soient al dente. Les égoutter et y verser en filet l'huile d'olive et le vinaigre balsamique, au goût. Parsemer du reste des noix et servir immédiatement.

6 portions

Tagliatelles au canard

On peut préparer cette sauce d'avance et la réchauffer.
Il ne reste alors qu'à la mélanger aux pâtes juste avant de servir.

3 c. à soupe d'huile d'olive extra vierge
2 gros oignons coupés en dés
2 carottes pelées et coupées en dés
1 branche de céleri coupée en dés
1 canard d'environ 1,3 kg (3 lb) sans la peau,
désossé et grossièrement haché
60 ml (¼ tasse) d'Aceto Balsamico di Modena
4 grosses tomates pelées, épépinées et grossièrement
hachées (voir p. 107)
1 c. à soupe de persil plat, frais, haché
1 c. à café (1 c. à thé) de romarin frais
½ c. à café (½ c. à thé) de thym frais, émietté
Sel et poivre fraîchement moulu, au goût
680 g (1 ½ lb) de tagliatelles

Dans une grande sauteuse ou dans un poêlon, chauffer l'huile d'olive à feu moyen et cuire les oignons, les carottes et le céleri de 3 à 4 minutes ou jusqu'à ce qu'ils soient ramollis. Ajouter le canard haché et cuire, en brassant, de 4 à 5 minutes ou jusqu'à ce qu'il soit doré.

Verser le vinaigre balsamique et remuer pour détacher toutes les particules collées au fond du poêlon. Ajouter les tomates, le persil, le romarin et le thym. Réduire à feu doux et cuire, sans couvercle, de 20 à 30 minutes ou jusqu'à ce que le mélange soit assez épais. Saler et poivrer au goût. Réserver et conserver au chaud.

Dans une grande marmite d'eau bouillante, cuire les pâtes jusqu'à ce qu'elles soient al dente. Les égoutter, puis les mélanger à la sauce. Servir immédiatement.

6 portions

Tortellinis nageant dans le bouillon

Il existe une foule de légendes au sujet de l'origine des tortellinis. Ma préférée est celle d'un aubergiste qui a conçu ce plat après avoir épié par le trou de la serrure une femme magnifique qui prenait son bain. C'est la vue du nombril de la dame dans l'eau de la baignoire qui lui a inspiré ce plat que nous connaissons aujourd'hui comme des tortellinis baignant dans un riche bouillon.

*60 g (2 oz) de jambon de Parme
(prosciutto di Parma)
115 g (4 oz) de longe de veau hachée
90 g (³/₄ tasse) de Parmigiano Reggiano
fraîchement râpé
2 c. à soupe d'Aceto Balsamico di Modena
Préparation pour faire les pâtes (voir p. 105)
1 œuf battu avec 1 c. à café (1 c. à thé) d'eau
2,5 litres (10 tasses) de Riche bouillon de poulet
(voir p. 106)
2 c. à soupe de basilic frais finement déchiqueté*

Au robot culinaire, hacher le jambon de Parme. Le mettre ensuite dans un bol et y mêler le veau haché, 60 g (¹/₂ tasse) de Parmigiano Reggiano et le vinaigre balsamique. Placer ce mélange dans une poche à douilles.

Couper la pâte en cercles de 5 cm (2 po). Mettre environ ¹/₂ c. à café (¹/₂ c. à thé) du mélange de jambon au milieu de chaque cercle, badigeonner les bords d'œuf battu avec l'eau et plier les cercles en deux pour former des demi-lunes. Enrouler chacune des pâtes autour d'un doigt en ramenant les coins ensemble pour qu'ils se chevauchent, puis fermer hermétiquement les extrémités des demi-lunes en appuyant bien sur la pâte. Courber les bords minces des tortellinis vers l'arrière. Placer les pâtes sur une surface légèrement enfarinée et les laisser sécher jusqu'à ce que le bouillon soit prêt.

Dans une grande marmite, porter le bouillon à ébullition. Ajouter les tortellinis et cuire de 3 à 5 minutes ou jusqu'à ce qu'ils soient al dente. À l'aide d'une louche, verser la soupe dans des bols chauds, puis parsemer de basilic et du parmesan qui reste.

6 portions

Gnocchis à la citrouille dans une sauce crème-vinaigre balsamique

La citrouille italienne est plutôt sucrée et moelleuse, tandis que la plupart des citrouilles américaines ne sont pas sucrées. On peut facilement remplacer la citrouille italienne par de la courge musquée.

225 g (8 oz) de citrouille, coupée en deux et égrenée
1 pomme de terre à cuire, cuite et refroidie
330 g (2 ½ tasses) de farine tout usage non traitée et plus pour saupoudrer
1 c. à café (1 c. à thé) de sel

1 œuf battu
500 ml (2 tasses) de crème à 35 %
250 ml (1 tasse) de Riche bouillon de poulet (voir p. 106)
60 ml (¼ tasse) d'Aceto Balsamico di Modena

Chauffer le four à 190 °C (375 °F), puis garnir une tôle à biscuits de papier sulfurisé.

Mettre la citrouille — le côté coupé vers le bas — sur la tôle à biscuits et cuire au four de 25 à 30 minutes ou jusqu'à ce qu'elle soit ramollie et légèrement dorée. Laisser refroidir, enlever la chair de la citrouille et la passer dans un presse-purée ou dans un tamis en laissant tomber la chair dans un bol. Enlever la chair de la pomme de terre, la passer aussi dans un presse-purée ou dans un tamis et la mettre dans le même bol que la citrouille.

Dans un bol plus grand, mélanger les 330 g (2 ½ tasses) de farine et le sel. Disposer en fontaine et ajouter au centre le mélange citrouille-pomme de terre et l'œuf. Travailler la pâte à la main jusqu'à ce que le mélange forme une boule.

Sur une surface légèrement enfarinée, pétrir la pâte de 5 à 8 minutes ou jusqu'à ce qu'elle soit souple et lisse.

Diviser la pâte en 4 puis, en utilisant les paumes des mains, abaisser chaque morceau de pâte en forme de saucisse d'environ 1,2 cm (½ po) de diamètre. Les couper ensuite en petits morceaux de 2,5 cm (1 po) de longueur. Les fariner légèrement et, pour les décorer, presser les pâtes sur le dos d'une fourchette ; elles seront aussi un peu creusées à l'intérieur. Réserver sur une surface légèrement enfarinée jusqu'à ce que les pâtes soient prêtes à cuire.

Dans une casserole, mélanger la crème, le bouillon et le vinaigre balsamique. Faire mijoter à feu moyen de 4 à 5 minutes ou jusqu'à ce que le tout soit bien chaud.

Dans une grande marmite d'eau bouillante salée, cuire les gnocchis de 3 à 5 minutes ou jusqu'à ce qu'ils soient tendres, mais encore un peu fermes. Égoutter les pâtes, les mêler à la sauce et servir immédiatement.

6 portions

Spaghetti aux légumes grillés, marinés au vinaigre balsamique

On peut obtenir un repas d'été idéal en accompagnant ce plat d'une salade verte et d'un bon vin blanc.
Pour un repas de semaine qui se prépare en un clin d'œil,
faire griller les légumes et les faire mariner d'avance.

125 ml (½ tasse) d'huile d'olive extra vierge
plus huile en quantité suffisante pour badigeonner
2 échalotes hachées
60 ml (¼ tasse) d'Aceto Balsamico di Modena
2 aubergines japonaises,
coupées dans le sens de la longueur
en tranches de 1,2 cm (½ po) d'épaisseur
6 petites courgettes parées
1 poivron rouge, évidé et coupé en 8
4 champignons shiitake, équeutés et coupés en 2
12 petites pommes de terre grelot, coupées en 2
et cuites jusqu'à ce qu'elles soient tendres
Sel et poivre fraîchement moulu, au goût
450 g (1 lb) de spaghettis

Allumer les briquettes de charbon de bois ou le gaz du barbecue.

Dans une casserole, à feu moyen-élevé, faire chauffer 125 ml (½ tasse) d'huile d'olive. Ajouter les échalotes et cuire jusqu'à ce qu'elles soient ramollies, sans être dorées. Incorporer le vinaigre balsamique et retirer du feu.

Badigeonner d'huile d'olive les aubergines, les courgettes, le poivron, les champignons et les pommes de terre. Saler et poivrer. Faire griller de 3 à 4 minutes de chaque côté, à feu moyen-élevé, ou jusqu'à ce que les légumes soient dorés.

Placer les légumes dans un plat peu profond à l'épreuve de la corrosion et les arroser du mélange de vinaigre balsamique. Laisser reposer 30 minutes à température de la pièce ou toute la nuit, au réfrigérateur.

Si l'on utilise des légumes qui sortent du réfrigérateur, les laisser revenir à température de la pièce. Dans une grande marmite d'eau bouillante salée, cuire les spaghettis jusqu'à ce qu'ils soient al dente. Les égoutter, puis les mélanger avec les légumes et servir immédiatement.

6 portions

Pâtes et haricots

En italien, ce plat porte le nom de Maltagliati e Fagioli. *Le mot* maltagliati *signifie mal coupé. Pour confectionner ce plat, il suffit d'abaisser une feuille de pâte fraîche, puis de la couper sans suivre aucun modèle précis. C'est également une excellente façon d'utiliser un reste de pâte quand on a préparé des pâtes de formes particulières ou des nouilles.*

120 g (1 tasse) de haricots canneberges secs
3 gousses d'ail
3 feuilles de sauge fraîche
3 c. à soupe d'huile d'olive
1 oignon finement haché
1 carotte pelée et coupée finement
1 branche de céleri hachée finement
1,5 ou 1,7 litre (6 ou 7 tasses) de Bouillon de poulet (voir p. 106)
1 c. à soupe de persil plat, frais, haché
1 c. à café (1 c. à thé) de thym frais, haché
Préparation pour faire les pâtes (voir p. 105)
60 ml (¼ tasse) d'Aceto Balsamico di Modena
Sel et poivre fraîchement moulu, au goût

Couvrir les haricots d'eau et les faire tremper toute une nuit avec l'ail et la sauge.

Le lendemain, égoutter les haricots et conserver l'ail et la sauge. Dans une grande casserole, faire chauffer l'huile à feu moyen, et y faire sauter l'oignon, la carotte et le céleri de 6 à 8 minutes, jusqu'à ce qu'ils soient dorés. Ajouter 1,5 litre (6 tasses) de bouillon de poulet, les haricots égouttés, l'ail et la sauge. Porter à ébullition, puis réduire à feu doux. Ajouter le persil et le thym et cuire sans couvercle de 2 h à 2 h 30 ou jusqu'à ce que les haricots soient tendres.

À l'aide d'un couteau bien aiguisé, couper la pâte de façon irrégulière, c'est-à-dire sans chercher à faire de formes particulières. Ajouter les pâtes aux haricots et cuire de 4 à 6 minutes, jusqu'à ce qu'elles soient al dente. Incorporer ensuite le vinaigre balsamique. Si le plat a une consistance trop épaisse, ajouter un peu de bouillon. Saler et poivrer.

6 à 8 portions

Risotto au poulet rôti et au fenouil

*Ce risotto foncé et riche permet d'utiliser les restes de poulet rôti. (Se servir des os pour faire le bouillon.)
Si l'on fait rôtir le poulet spécialement pour préparer cette recette, faire rôtir le fenouil et
l'oignon avec le poulet pendant les 15 dernières minutes de cuisson,
puis les ajouter au risotto avec le poulet, à la fin.*

*60 ml (¼ tasse) d'huile d'olive extra vierge
1 oignon coupé en dés
1 bulbe de fenouil, paré et coupé en julienne
dont quelques feuilles que l'on réserve
pour la garniture
300 g (1 ½ tasse) de riz carnaroli ou arborio
60 ml (¼ tasse) d'Aceto Balsamico di Modena
1,8 à 2 litres (7 ½ à 8 tasses) de Bouillon de poulet
rôti, chaud (voir p. 106)
300 g (2 tasses) de poulet rôti, coupé en cubes
2 c. à soupe de beurre non salé
Sel et poivre fraîchement moulu, au goût*

Dans une casserole, faire chauffer l'huile d'olive à feu moyen et y faire sauter l'oignon et le fenouil environ 3 minutes, jusqu'à ce qu'ils soient ramollis sans être dorés. Ajouter le riz et remuer de 3 à 4 minutes, jusqu'à ce qu'il soit opaque. Verser le vinaigre balsamique et brasser jusqu'à ce que le vinaigre soit absorbé.

Ajouter 250 ml (1 tasse) de bouillon au riz et brasser sans arrêt, jusqu'à ce que presque tout le liquide soit absorbé. Répéter l'opération jusqu'à ce qu'il ne reste que 60 ml (¼ tasse) de bouillon et que le riz soit al dente. Cela devrait se faire en 18 à 20 minutes.

Verser le reste du bouillon et le poulet, puis incorporer le beurre. Saler et poivrer, garnir des feuilles de fenouil, puis servir immédiatement.

6 portions

Les plats
principaux

Jarrets de porc

Ce plat est habituellement préparé avec du jarret de veau, mais une variante intéressante consiste à utiliser du jarret de porc. Servir ce plat sur un lit de pâtes comme des pappardelles.

*2 jarrets de porc de 900 g (2 lb) chacun,
coupés par le boucher
en tranches de 1,2 cm (½ po) d'épaisseur
Sel et poivre fraîchement moulu, au goût
60 ml (¼ tasse) d'huile d'olive
1 gros oignon, coupé en tranches
125 ml (½ tasse) d'Aceto Balsamico di Modena
1 carotte pelée et coupée en dés
1 branche de céleri coupée en dés
2 pommes de terre à bouillir pelées
et coupées en dés
750 ml (3 tasses) de Fond de bœuf ou de veau
(voir p. 107)
2 c. à soupe d'Aceto Balsamico Tradizionale
3 c. à soupe de persil plat, frais, haché*

Chauffer le four à 230 °C (450 °F). Saler et poivrer les jarrets de porc.

Dans un grand plat à rôtir, faire chauffer l'huile d'olive à feu moyen et y faire dorer les jarrets de tous les côtés, puis ajouter l'oignon. Mettre au four et faire rôtir pendant 30 minutes.

Retirer le plat du four et verser l'Aceto Balsamico di Modena. Ajouter la carotte, le céleri, les pommes de terre et le fond de bœuf ou de veau, puis remettre au four pendant 45 minutes ou jusqu'à ce que la viande soit très tendre. Transférer la viande et les légumes dans un plat de service et garder au chaud.

Verser le jus de cuisson dans une casserole et cuire à feu élevé jusqu'à ce que le liquide soit réduit de moitié. Remettre les légumes dans la sauce et réchauffer le tout. Ajouter l'Aceto Balsamico Tradizionale, puis saler et poivrer au goût. À l'aide d'une cuillère, verser ensuite la sauce sur les jarrets. Parsemer de persil et servir immédiatement.

6 portions

Rôti de porc aux pommes, au miel et au vinaigre balsamique

Un mets extraordinaire pendant les jours de fête,
qui est meilleur quand il est servi avec des légumes verts.

1 rôti de longe de porc désossé de 1,8 kg (4 lb)
Sel et poivre fraîchement moulu, au goût
3 c. à soupe d'huile d'olive extra vierge
500 ml (2 tasses) de Fond de veau ou de bœuf
(voir p. 107)
3 c. à soupe de miel
3 c. à soupe d'Aceto Balsamico di Modena
1,3 kg (3 lb) de pommes de terre pelées
et en quartiers
3 pommes Granny Smith ou Cox's Orange Pippin
pelées, évidées et coupées en dés
4 gousses d'ail
1 c. à café (1 c. à thé) de thym frais, émietté
1 c. à soupe de farine de maïs mélangée avec
2 c. à soupe d'eau
2 c. à soupe d'Aceto Balsamico Tradizionale

Chauffer le four à 190 °C (375 °F). Saler et poivrer le porc.

Dans une grosse cocotte à l'épreuve du feu, chauffer l'huile d'olive à feu moyen et y faire dorer le porc de tous les côtés.

Entre-temps, dans une casserole, mêler le fond de veau ou de bœuf, le miel et l'Aceto Balsamico di Modena. Cuire à feu moyen jusqu'à ce que le miel soit dissous et que le tout soit bien mélangé. Verser le liquide chaud sur le porc, dans la cocotte. Couvrir la cocotte, la mettre au four et cuire pendant 2 heures.

Ajouter les pommes de terre et cuire pendant 15 minutes. Ajouter ensuite les pommes, l'ail et le thym, et cuire de 15 à 20 minutes ou jusqu'à ce que les pommes de terre soient tendres et que la température du porc soit à 85 °C (185 °F) au centre.

Transférer le porc sur un plat de service. Réserver et garder au chaud. Filtrer le jus de cuisson dans une casserole. Porter à ébullition, puis réduire à feu moyen. Battre le mélange de farine de maïs et d'eau dans le jus de cuisson et cuire, en brassant sans arrêt, jusqu'à ce que le mélange ait légèrement épaissi. Saler et poivrer. À l'aide d'une écumoire, disposer les pommes de terre et les pommes autour du rôti. Verser l'Aceto Balsamico Tradizionale en filet sur le rôti, sur les pommes de terre et sur les pommes. Servir la sauce à part.

6 portions

Filet de bœuf froid et sauce chaude au vinaigre balsamique

On peut aussi réfrigérer cette sauce et la servir froide.
Bien mélanger la sauce avant de la verser sur la viande.

1 filet de bœuf de 900 g (2 lb)
Sel et poivre fraîchement moulu, au goût
3 c. à soupe d'huile d'olive extra vierge
85 g (3 oz) de pancetta hachée
2 échalotes pelées et hachées
60 ml (¼ tasse) d'Aceto Balsamico di Modena
375 ml (1 ½ tasse) de Fond de veau ou de bœuf
(voir p. 107)
360 g (6 tasses) de jeunes feuilles d'épinard

Saler et poivrer le bœuf généreusement. Dans une grande sauteuse ou dans un poêlon, chauffer l'huile d'olive à feu moyen-élevé et dorer le filet de tous les côtés. Transférer le filet sur une planche à découper et le laisser refroidir.

Mettre la pancetta dans le poêlon. Cuire à feu moyen de 4 à 5 minutes ou jusqu'à ce qu'elle soit dorée. Ajouter les échalotes et cuire environ 2 minutes, jusqu'à ce qu'elles soient ramollies. Verser le vinaigre balsamique en brassant pour détacher les particules collées au fond du poêlon. Ajouter le fond de veau ou de bœuf et cuire à feu élevé jusqu'à ce qu'il soit réduit de moitié.

Trancher le bœuf refroidi très mince (la viande sera saignante). Répartir les feuilles d'épinard également dans les assiettes. Disposer les tranches de bœuf en éventail sur le dessus des épinards. À l'aide d'une cuillère, verser la sauce chaude sur la viande et sur les épinards. Saler et poivrer au goût. Servir immédiatement.

6 portions

Les escalopes de veau d'Otello

C'est à l'Acetaia del Cristo, à San Prospero, en banlieue de Modène, qu'Otello Bonfatti travaille avec la famille Barbieri. Voici sa version d'un plat traditionnel que l'on trouve dans presque tous les restaurants du quartier. Les restaurants préparent habituellement ce plat avec de l'Aceto Balsamico di Modena, mais Otello utilise de l'Aceto Balsamico Tradizionale, et il ne le ménage pas!

2 escalopes de veau d'environ 115 g (4 oz) chacune
1 gousse d'ail
Farine en quantité suffisante pour en saupoudrer la viande
2 c. à soupe d'huile d'olive extra vierge
1 branche de céleri, coupée en dés
Sel et poivre fraîchement moulu, au goût
4 c. à café (4 c. à thé) d'Aceto Balsamico Tradizionale

À l'aide du côté plat d'un attendrisseur ou d'un rouleau à pâtisserie, pétrir la viande pour qu'elle ait 1,2 cm ($\frac{1}{2}$ po) d'épaisseur partout. Couper la gousse d'ail en deux et en frotter du côté coupé les deux côtés de la viande.

Saupoudrer le veau de farine pour l'enrober des deux côtés, puis secouer la viande pour enlever le surplus de farine.

Dans une grande sauteuse ou un poêlon, chauffer l'huile d'olive à feu moyen et cuire le céleri de 3 à 4 minutes, jusqu'à ce qu'il soit ramolli. Tasser le céleri d'un côté du poêlon, ajouter le veau et cuire 1 minute de chaque côté. Saler et poivrer. Retirer le poêlon du feu et verser 2 c. à café (2 c. à thé) de vinaigre balsamique sur chacune des escalopes. Servir immédiatement.

2 portions

Le lapin mariné au vinaigre balsamique de Maura

*Maura Benatti est l'épouse de Francesco Renzi, maître tonnelier de Modène. Dans leur vinaigrerie,
ils fabriquent du vinaigre balsamique seulement pour leur famille et leurs amis proches.
Maura utilise le vinaigre balsamique pour faire mariner le lapin,
ce qui le rend tendre et succulent.*

60 ml (¼ tasse) d'Aceto Balsamico di Modena
60 ml (¼ tasse) d'huile d'olive extra vierge
plus 3 c. à soupe pour faire dorer le lapin
2 gousses d'ail écrasées
1 c. à café (1 c. à thé) de baies de genièvre
1 feuille de laurier
1 tige de romarin frais
Sel et poivre fraîchement moulu, au goût
1 lapin d'environ 1 kg (2 ⅓ lb), coupé en 8

Dans une grande cocotte à l'épreuve de la corrosion, mettre le vinaigre balsamique, 60 ml (¼ tasse) d'huile d'olive, l'ail, le genièvre, le laurier, le romarin, le sel et le poivre. Bien enduire le lapin de ce mélange. Couvrir et réfrigérer pendant au moins 8 heures ou toute la nuit. Retourner les morceaux de temps en temps pour qu'ils soient toujours en contact avec la marinade.

Égoutter le lapin, réserver la marinade, puis laisser reposer à température de la pièce pendant environ 20 minutes. Dans une grande sauteuse ou un poêlon, chauffer les 3 cuillères à soupe d'huile d'olive à feu moyen. Ajouter les morceaux de lapin et cuire de 5 à 7 minutes, jusqu'à ce qu'ils soient dorés. Verser peu à peu la marinade dans le poêlon en remuant pour détacher les particules collées au fond. Réduire à feu doux, couvrir et cuire pendant 20 minutes ou jusqu'à ce que le lapin soit très tendre. Mettre le lapin sur un plat de service et conserver au chaud. Faire chauffer le jus de cuisson sans couvercle à feu élevé et faire réduire le liquide jusqu'à ce qu'il ait légèrement épaissi. Saler et poivrer. Verser la sauce sur le lapin et servir immédiatement.

4 portions

Carré d'agneau au pesto amande et menthe, déglacé au vinaigre balsamique

Ce plat est également délicieux lorsqu'on le sert avec des Têtes d'ail rôties (voir p. 107).
Le pesto peut être préparé d'avance; il suffit de le couvrir d'une mince couche d'huile d'olive,
de le placer dans un contenant hermétique, puis de le mettre au réfrigérateur.

Pesto amande-menthe
3 gousses d'ail
1 bouquet de menthe fraîche (les feuilles seulement)
— environ 30 g (1 tasse) de feuilles bien tassées
75 g (½ tasse) d'amandes grillées (voir p. 107)
Le jus de 1 citron
3 c. à soupe d'huile d'olive extra vierge ou quantité suffisante pour obtenir la consistance désirée

Agneau
900 g (2 lb) de carré d'agneau
Sel et poivre fraîchement moulu, au goût
5 c. à soupe de beurre non salé
3 c. à soupe d'Aceto Balsamico di Modena
250 ml (1 tasse) de Fond de veau
(voir p. 107)
3 c. à soupe de persil plat, frais, haché

Pesto : Au robot culinaire ou au mélangeur, mettre l'ail en purée. Ajouter la menthe, les amandes et le jus de citron, puis mélanger jusqu'à l'obtention d'une texture granuleuse. Pendant que l'appareil est en marche, ajouter graduellement l'huile d'olive pour obtenir la consistance désirée. Réserver.

Agneau : Attacher le carré d'agneau à l'aide d'une ficelle de cuisine. Pour conserver la forme de la viande, laisser 2,5 cm (1 po) entre chaque bout de ficelle. Saler et poivrer généreusement de tous les côtés. Dans un grand poêlon, faire fondre 3 c. à soupe de beurre à feu moyen et chauffer jusqu'à ce qu'il soit à peine bruni. Ajouter l'agneau et cuire environ 4 minutes, jusqu'à ce qu'il soit légèrement doré de tous les côtés. Le placer ensuite sur une planche à découper et laisser refroidir.

Verser le vinaigre balsamique dans le poêlon en remuant pour détacher les particules collées au fond. Ajouter le fond de veau et chauffer jusqu'à ce qu'il soit réduit de moitié. Fouetter le reste du beurre, puis saler et poivrer au goût.

Trancher l'agneau en médaillons de 2,5 cm (1 po) d'épaisseur, en coupant à mi-chemin entre les ficelles. Disposer les médaillons sur un plat de service allant au four. À l'aide d'une cuillère, verser la sauce sur l'agneau et mettre au four pendant 10 minutes, tout au plus.

Parsemer de persil, puis servir immédiatement, avec le pesto à la menthe à part.

6 portions

Poitrine de dinde accompagnée de chutney raisin-vinaigre balsamique

Ce chutney peut aussi servir de condiment. On peut également l'utiliser avec d'autres viandes — le poulet grillé, par exemple — ou avec du poisson, tel le bar commun.

Chutney raisin-vinaigre balsamique

125 ml (½ tasse) d'Aceto Balsamico di Modena
100 g (½ tasse) de sucre cristallisé
60 g (¼ tasse) de cassonade pâle, bien tassée
680 g (1 ½ lb) de raisins coupés en 2
et épépinés
1 petit oignon haché finement
2 gousses d'ail hachées
1 poivron jaune, évidé et coupé en dés
2 c. à café (2 c. à thé) de zeste d'orange râpé

Chutney raisin-vinaigre balsamique : Dans une marmite à l'épreuve de la corrosion, mettre le vinaigre, le sucre et la cassonade. Porter à ébullition, en brassant souvent, puis ajouter le reste des ingrédients en mélangeant bien. Porter de nouveau à ébullition, puis réduire à feu doux et cuire pendant 5 minutes ou jusqu'à ce que le tout soit bien chaud. Ne pas trop cuire les fruits. Laisser refroidir. (Si l'on n'utilise pas le chutney dans un court laps de temps, on peut le placer au réfrigérateur, dans des bocaux stérilisés, et le conserver jusqu'à 4 semaines.)

3 bocaux de 250 ml (1 tasse)

Dinde : Chauffer le four à 190 °C (375 °F). Huiler légèrement un plat de 33 x 23 cm (13 x 9 po), allant au four.

À l'aide du côté plat d'un attendrisseur ou d'un rouleau à pâtisserie, pétrir les tranches de dinde placées entre deux feuilles de pellicule plastique pour qu'elles aient 0,5 cm (¼ po) d'épaisseur partout. Saler et poivrer un côté de la viande. Mettre environ 1 c. à soupe de riz au milieu de chaque tranche.

Dinde

900 g (2 lb) de poitrine de dinde désossée et sans
peau, coupée en tranches
de 2,5 cm (1 po) d'épaisseur
Sel et poivre fraîchement moulu, au goût
400 g (2 tasses) de riz cuit
4 c. à café (4 c. à thé) de thym frais, émietté
plus 8 brins pour la garniture
2 c. à soupe de persil plat, frais, haché
6 c. à soupe d'huile d'olive extra vierge
4 poireaux (le blanc seulement), en julienne
1 litre (4 tasses) de Bouillon de poulet (voir p. 106)

Parsemer de thym et de persil, puis rouler le tout pour former un cylindre. Pour conserver la viande en forme de cylindre, l'attacher à plusieurs endroits avec de la ficelle de cuisine.

Dans une grande sauteuse ou un poêlon, chauffer l'huile à feu moyen et faire dorer légèrement la viande de tous les côtés pendant environ 4 minutes au total. Mettre les rouleaux dans le plat allant au four et réserver. Dans le même poêlon, faire sauter les poireaux de 3 à 4 minutes ou jusqu'à ce qu'ils soient ramollis. Ajouter le bouillon en remuant pour détacher les particules collées au fond du poêlon. Verser le mélange sur la viande et cuire au four de 10 à 12 minutes ou jusqu'à ce que le tout soit complètement chaud.

Garnir de brins de thym et servir avec le chutney raisin-vinaigre balsamique à part.

8 portions

Poitrine de canard accompagnée de marmelade oignon-vinaigre balsamique

Les oignons doux font les meilleures marmelades. L'oignon Vidalia, le Maui et le Walla Walla en sont trois bonnes variétés. Cette marmelade peut être préparée d'avance et réchauffée juste avant de servir. Elle accompagne aussi merveilleusement bien d'autres volailles et certaines viandes.

Huile pour le plat de cuisson
2 poitrines de canard entières, sans la peau, désossées, coupées en 2 et le surplus de gras enlevé
Sel et poivre fraîchement moulu, au goût
3 c. à soupe de beurre non salé
60 ml (¼ tasse) d'Aceto Balsamico di Modena

Marmelade oignon-vinaigre balsamique
3 c. à soupe d'huile d'olive
2 gros oignons rouges, coupés en tranches minces
1 poireau (le blanc seulement), coupé en tranches minces
125 ml (½ tasse) d'Aceto Balsamico di Modena
250 ml (1 tasse) de Bouillon de poulet (voir p. 106)

Chauffer le four à 190 °C (375 °F). Badigeonner légèrement d'huile un plat carré de 20 cm (8 po), allant au four.

Saler et poivrer les poitrines de canard. Dans une grande sauteuse ou un poêlon, faire fondre le beurre à feu moyen et chauffer jusqu'à ce qu'il soit doré. Saisir les poitrines 2 minutes de chaque côté ou jusqu'à ce qu'elles soient légèrement dorées, puis les transférer dans le plat allant au four et les arroser de 60 ml (¼ tasse) de vinaigre balsamique. Couvrir de papier d'aluminium et cuire de 15 à 20 minutes ou jusqu'à ce que le jus qui coule quand on pique le canard avec un couteau soit transparent.

Marmelade : Dans le même poêlon, chauffer l'huile d'olive à feu moyen et cuire les oignons et le poireau, environ 15 minutes ou jusqu'à ce qu'ils commencent à caraméliser, en remuant de temps en temps.

Ajouter 125 ml (½ tasse) de vinaigre balsamique, en brassant pour détacher les particules collées au fond du poêlon, puis chauffer pour réduire jusqu'à la consistance d'un sirop. Verser le bouillon et poursuivre la cuisson à feu moyen-élevé environ 10 minutes, jusqu'à ce que le liquide soit réduit et que le mélange soit assez épais. Saler et poivrer, au goût. Réserver et conserver au chaud.

Retirer le canard du four. Répartir également la marmelade d'oignon dans 4 assiettes de service. Disposer les poitrines de canard sur le dessus. À l'aide d'une cuillère, y verser le jus de cuisson, puis servir immédiatement.

4 portions

Truite grillée, sauce raisin-vinaigre balsamique

*Comme le raisin est à l'origine du vinaigre balsamique,
une sauce à base du même ingrédient crée l'harmonie parfaite.*

*4 truites arc-en-ciel entières, de 285 à 340 g
(10 à 12 oz) chacune
1 c. à soupe d'huile d'olive
Sel et poivre fraîchement moulu, au goût
10 g (¼ tasse) d'herbes fraîches mélangées, hachées
(romarin, thym et persil)
plus des brins entiers d'herbes pour faire griller,
si désiré*

*Sauce raisin-vinaigre balsamique
3 c. à soupe d'huile d'olive extra vierge
4 échalotes hachées
125 ml (½ tasse) d'Aceto Balsamico di Modena
500 ml (2 tasses) de Bouillon de légumes
(voir p. 106)
200 g (2 tasses) de raisins rouges,
coupés en 2 et épépinés*

Allumer les briquettes de charbon de bois ou le gaz du barbecue. Badigeonner d'huile d'olive, puis saler et poivrer l'intérieur et l'extérieur des truites. Parsemer l'intérieur de chaque poisson de 1 c. à soupe d'herbes. À l'aide d'une ficelle de cuisine, attacher à chaque poisson quelques brins entiers d'herbes fraîches, si désiré. Faire griller les truites environ 4 minutes de chaque côté, jusqu'à ce qu'elles soient dorées. Déposer le poisson sur un plat de service et conserver au chaud.

Sauce : Dans une casserole, chauffer l'huile à feu moyen et y faire sauter les échalotes de 4 à 5 minutes, jusqu'à ce qu'elles soient dorées. Verser le vinaigre balsamique et brasser. Ajouter le bouillon de légumes et le raisin, puis porter à ébullition. Réduire à feu doux et cuire pendant 2 minutes. À l'aide d'une écumoire, retirer les raisins et réserver. Augmenter l'intensité du feu à moyen-élevé, puis faire bouillir la sauce jusqu'à ce qu'elle soit réduite à environ 250 ml (1 tasse). Remettre le raisin dans la sauce. Saler et poivrer. À l'aide d'une cuillère, verser la sauce sur les truites et tout autour, puis servir immédiatement.

4 portions

Pour
terminer

Desserts traditionnels

Parmigiano Reggiano, poire et Aceto Balsamico Tradizionale

Ce plat est tellement facile à préparer qu'on a presque l'impression de faire de la magie. Il s'agit tout simplement de placer un morceau de Parmigiano Reggiano sur une planche à découper et de déposer sur un plateau quelques poires entières et une bouteille d'Aceto Balsamico Tradizionale au milieu de la table. On laisse ensuite les invités se tailler des lamelles de fromage, puis y verser en filet l'Aceto Balsamico Tradizionale. Les fraîches bouchées de poire conjuguées au riche goût du fromage et du vinaigre balsamique créent un mélange tellement harmonieux qu'il est difficile à égaler.

Fraises sauvages et Aceto Balsamico Tradizionale

Au printemps, il n'est pas rare de voir de petites fraises sauvages pousser dans les bois, le long d'un ruisseau. La façon classique de servir ces fruits est d'y verser en filet un vinaigre balsamique épais et vieilli. S'il est impossible de trouver ces petits bijoux gros comme des dés à coudre, on peut les remplacer par des fraises fraîches ordinaires, tranchées et macérées dans un peu de sucre. Utiliser environ 1 c. à café (1 c. à thé) d'Aceto Balsamico Tradizionale par portion et le verser en filet sur les fruits juste avant de servir.

Ricotta, miel de châtaignier et Aceto Balsamico Tradizionale

Si l'on peut trouver de la ricotta fraîche, quelle chance ! En couper un morceau pendant qu'elle est encore chaude ou, si le fromage est au réfrigérateur, le laisser reposer à température de la pièce. Y verser ensuite un peu de miel de châtaignier à la saveur boisée et quelques lumineuses gouttelettes d'Aceto Balsamico Tradizionale.

Gâteau au fromage à la ricotta parfumé à l'eau de fleur d'oranger et au vinaigre balsamique

Pour terminer le repas sur une note légère, on peut servir ce gâteau au fromage rehaussé d'un soupçon d'Aceto Balsamico Tradizionale.

Beurre en quantité suffisante pour le moule
140 g (²/₃ tasse) de sucre cristallisé
45 g (¹/₃ tasse) de farine tout usage
et plus pour le moule
850 g (30 oz) de fromage ricotta au lait entier
5 jaunes d'œufs battus
1 c. à soupe d'eau de fleur d'oranger
¹/₄ c. à café (¹/₄ c. à thé) de muscade
fraîchement râpée
2 c. à café (2 c. à thé) de zeste d'orange
finement râpé
1 ¹/₂ c. à café (1 ¹/₂ c. à thé) d'extrait de vanille
Une pincée de sel
250 ml (1 tasse) de jus d'orange
fraîchement pressée
2 c. à soupe d'Aceto Balsamico Tradizionale

Chauffer le four à 150 °C (300 °F). Beurrer un moule à charnière de 23 cm (9 po), puis y mettre un peu de farine.

Dans un grand bol, mélanger le sucre et la farine. Ajouter la ricotta, en remuant juste assez pour mélanger. Incorporer les jaunes d'œufs, l'eau de fleur d'oranger, la muscade, le zeste d'orange, la vanille et le sel.

Verser dans le moule et cuire 1 h 15 ou jusqu'à ce que le dessus soit doré et que le gâteau soit assez ferme (mais le centre doit rester légèrement mou). Transférer le gâteau sur une grille métallique et laisser refroidir. Couvrir et placer au réfrigérateur pendant au moins 2 heures.

Dans une petite casserole, faire chauffer le jus d'orange à feu élevé jusqu'à ce qu'il soit réduit de moitié. Ajouter le vinaigre balsamique, retirer du feu et laisser refroidir.

Pour servir, passer un couteau à lame mince autour du gâteau. Retirer la bordure du moule, puis couper le gâteau en 10 tranches. Servir chaque tranche sur une assiette de service avec un petit peu de sauce jus d'orange-vinaigre balsamique à côté.

10 portions

QUAND MON FILS ÉTAIT JEUNE,

CELA L'AGAÇAIT

DE M'ENTENDRE LUI RÉPÉTER

QUE LE VINAIGRE BALSAMIQUE

POUVAIT ACCOMPAGNER

N'IMPORTE QUOI.

IL M'A DONC LANCÉ UN DÉFI.

IL M'A APPORTÉ UN VERRE DE LAIT,

PUIS IL M'A DEMANDÉ DE LE BOIRE

AVEC DU VINAIGRE BALSAMIQUE.

ET, MA FOI, CE N'ÉTAIT PAS SI MAL !

ERMES MALPIGHI, MODÈNE

Mousse aux fraises

Rustichelli & Piccinini est une véritable institution dans le domaine gastronomique. À l'entrée de Modène, cette boutique située le long de la via Emilia appartient à un couple. Depuis 30 ans, le mari et la femme partagent leurs habiletés culinaires et leurs produits. L'endroit est un vrai musée, particulièrement le petit placard qui abrite leur collection de vinaigre balsamique. Enoe Piccinini prépare tous les plats cuisinés et, parmi ceux-ci, se trouve cette merveilleuse mousse aux fraises.

180 ml (³/₄ tasse) de lait
50 g (¹/₄ tasse) de sucre glace
1 c. à café (1 c. à thé) d'extrait de vanille
1 ¹/₂ c. à café (1 ¹/₂ c. à thé) de gélatine
non aromatisée
640 g (4 tasses) de fraises fraîches mûres,
équeutées et tranchées
2 c. à soupe de sucre cristallisé
60 ml (¹/₄ tasse) d'Aceto Balsamico Tradizionale,
âgé de 12 ans
180 ml (³/₄ tasse) de crème à 35 %

Dans une grande casserole, mélanger le lait, le sucre glace, la vanille et la gélatine, puis brasser jusqu'à ce que la gélatine soit dissoute. Chauffer à feu moyen jusqu'à ce que des bulles se forment sur les côtés de la casserole. Retirer du feu et laisser refroidir.

Dans une casserole, mettre les fraises, le sucre cristallisé et le vinaigre balsamique. Cuire à feu moyen pendant 10 minutes, en brassant de temps en temps. Laisser refroidir à température de la pièce.

Incorporer la moitié de la sauce aux fraises au mélange de lait refroidi. Placer le reste de la sauce au réfrigérateur jusqu'au moment de servir. Dans un bol profond, fouetter la crème jusqu'à ce qu'elle commence à former des pics. Incorporer la crème fouettée au mélange fraises-lait. Verser dans un moule à dessert de 1 litre (4 tasses) et placer au réfrigérateur pendant au moins 3 heures ou jusqu'à ce que la mousse soit ferme. Pour démouler, tremper d'abord le moule dans l'eau chaude quelques secondes, puis le retourner sur un plat de service. Servir le reste de la sauce aux fraises à part.

4 portions

Le quatre-quarts de Rolando,
sauce petits fruits-vinaigre balsamique

*Rolando Beramendi, spécialiste de la gastronomie italienne, partage son temps entre
New York et Florence. Il a réuni dans cette recette le meilleur de deux mondes :
le quatre-quarts américain et la sauce au vinaigre balsamique italien — celui de Modène —
qui accompagne ces petits fruits d'été. Cette sauce est aussi délicieuse sur une glace à la vanille,
sur la* panna cotta *(un genre de crème-dessert à l'italienne) ou sur la crème caramel.*

Quatre-quarts

*480 g (2 tasses) ou 4 bâtonnets de beurre non salé
et plus pour le moule*
680 g (3 1/3 tasses) de sucre cristallisé
2 c. à café (2 c. à thé) d'extrait de vanille
10 œufs
Le zeste d'une orange, finement râpé
*530 g (4 tasses) de farine à gâteaux
et plus pour le moule*
1/2 c. à café (1/2 c. à thé) de sel

Sauce petits fruits-vinaigre balsamique

130 g (1 tasse) de framboises fraîches
150 g (1 tasse) de bleuets frais ou myrtilles
*160 g (1 tasse) de fraises fraîches, équeutées
et coupées en quartiers*
*125 ml (1/2 tasse) d'Aceto Balsamico
Tradizionale, âgé de 12 ans*
100 g (1/2 tasse) de sucre cristallisé
2 c. à soupe d'eau

Chauffer le four à 160 °C (325 °F). Beurrer deux moules à pain de 23 x 13 cm (9 x 5 po). Couvrir le fond de chaque moule de papier sulfurisé et beurrer le papier. Saupoudrer légèrement de farine, puis secouer pour enlever le surplus.

Quatre-quarts : Dans le bol d'un malaxeur électrique, battre le beurre en crème jusqu'à ce qu'il soit plus pâle. Ajouter le sucre et fouetter jusqu'à ce que le mélange ait une texture mousseuse. Verser la vanille, puis incorporer les œufs, un à un, en fouettant bien entre chaque addition. Mettre le zeste d'orange et bien mélanger.

Dans un autre bol, mélanger la farine et le sel. En brassant à la main — et non plus au malaxeur —, ajouter graduellement la farine et le sel au mélange précédent, mêler juste assez pour qu'ils s'incorporent au mélange, il faut donc faire attention de ne pas trop mélanger. Verser la pâte dans les moules et cuire au four pendant 1 heure ou jusqu'à ce qu'un cure-dent piqué au centre des gâteaux en ressorte propre. Passer un couteau à lame mince autour de chaque gâteau pour le détacher du moule. Placer ensuite les gâteaux sur une grille métallique et laisser refroidir.

Sauce : Mettre tous les ingrédients dans une casserole moyenne. À feu doux, laisser mijoter de 3 à 5 minutes ou jusqu'à ce que les fruits soient ramollis, mais pas complètement défaits. Retirer du feu. Servir chaud sur les tranches de quatre-quarts.

8 à 10 portions

Glace à la vanille et garniture cerises-vinaigre balsamique

La garniture aux cerises peut facilement accompagner le Gâteau au fromage à la ricotta (voir p. 98).
Dans cette recette, on peut également remplacer les cerises par d'autres fruits :
le raisin, par exemple, donne de très bons résultats.

500 ml (2 tasses) de lait entier
500 ml (2 tasses) de crème à 35 %
1 gousse de vanille, coupée en deux
dans le sens de la longueur
6 jaunes d'œufs
160 g (¾ tasse) de sucre cristallisé

Garniture cerises-vinaigre balsamique
125 ml (½ tasse) d'Aceto Balsamico di Modena
125 ml (½ tasse) de jus de pomme
125 ml (½ tasse) d'eau
100 g (½ tasse) de sucre cristallisé
½ c. à café (½ c. à thé) de zeste de citron râpé
½ c. à café (½ c. à thé) de cannelle moulue
450 g (1 lb) de cerises douces rouge foncé,
dénoyautées et coupées en 2
ou 225 g (8 oz) de cerises séchées

Verser le lait et la crème dans la partie supérieure d'un bain-marie. Râper la gousse de vanille dans le liquide, ajouter la gousse, puis chauffer jusqu'à ce que le mélange soit brûlant, au-dessus de l'eau qui bout légèrement. Retirer du feu et réserver. Enlever la gousse de vanille.

Passer les jaunes d'œufs et le sucre au mélangeur. Pendant que l'appareil est en marche, incorporer graduellement le mélange de lait chaud. Remettre le mélange au bain-marie et cuire au-dessus de l'eau qui mijote, en brassant constamment, jusqu'à ce que le mélange soit assez épais pour napper le dos d'une cuillère de bois. Laisser refroidir, puis placer au réfrigérateur pendant au moins 2 heures. Congeler ensuite dans une sorbetière, selon les directives du fabricant.

Garniture : Dans une casserole moyenne, mélanger le vinaigre balsamique, le jus de pomme, l'eau, le sucre, le zeste de citron et la cannelle. Porter à ébullition en brassant pour permettre au sucre de se dissoudre. Ajouter les cerises et réduire à feu doux. Cuire de 8 à 10 minutes ou jusqu'à ce que les cerises soient ramollies. Laisser refroidir à température de la pièce avant de servir.

6 portions

Salade de fruits des quatre saisons, vinaigrette orange-vinaigre balsamique

On peut préparer l'une de ces combinaisons de fruits ou créer son propre mélange. Choisir des fruits mûrs, mais encore fermes, cueillis en pleine saison, quand ils sont gorgés de saveur. Cette vinaigrette est aussi délicieuse servie sur une salade verte et des légumes.

Vinaigrette orange-vinaigre balsamique

125 ml (½ tasse) de jus d'orange
60 ml (¼ tasse) d'Aceto Balsamico di Modena
50 g (¼ tasse) de sucre cristallisé
½ c. à café (½ c. à thé) de zeste d'orange râpé
*¼ c. à café (¼ c. à thé) de muscade
fraîchement râpée*

Salade de fruits du printemps

*580 g (4 tasses) de cerises douces,
coupées en 2 et dénoyautées*
*1 mangue pelée, le noyau enlevé
et coupée en dés*

Salade de fruits d'été

4 pêches pelées, dénoyautées et coupées en tranches
150 g (1 tasse) de bleuets frais ou myrtilles

Salade de fruits d'automne

12 figues fraîches, en quartiers
*75 g (½ tasse) d'amandes effilées, grillées
(voir p. 107)*

Salade de fruits d'hiver

4 poires pelées, évidées et coupées en tranches
Les graines d'une grenade

Vinaigrette : Mettre tous les ingrédients dans une casserole moyenne. Porter à ébullition en brassant pour dissoudre le sucre. Retirer du feu et laisser refroidir à température de la pièce avant de servir.

Verser la vinaigrette sur l'un des mélanges de fruits, puis remuer pour en enduire les fruits. Laisser reposer à température de la pièce pendant 30 minutes avant de servir.

Chaque salade donne 4 portions

Les recettes de base

Préparation pour faire les pâtes

400 g (3 tasses) de farine tout usage non traitée
4 œufs
1 c. à soupe d'huile de tournesol

Méthode au robot culinaire : Mettre la farine dans un robot culinaire muni d'une lame en acier. Dans un petit récipient comportant un bec verseur, fouetter les œufs et l'huile.

Dans l'appareil en marche, verser graduellement le mélange d'œufs et d'huile sur la farine jusqu'à ce que la pâte commence à se détacher des côtés du bol. Mélanger pendant 30 secondes, puis vérifier la consistance : la pâte doit être assez humide pour bien se tenir, mais elle ne doit pas être collante. Sur une surface légèrement enfarinée, pétrir la pâte plusieurs fois et former une boule. La mettre ensuite dans un sac de plastique et la laisser reposer 15 minutes.

À l'aide de la machine à pâtes manuelle, abaisser un quart de la pâte à la fois, en laissant le reste dans le sac pour éviter qu'elle ne sèche. Régler les rouleaux pour que la pâte soit aussi épaisse que possible au début. Passer la pâte de 8 à 10 fois dans la machine, en la pliant en deux chaque fois, jusqu'à ce qu'elle soit lisse. Si la pâte casse, c'est peut-être parce qu'elle est trop humide. La saupoudrer alors de farine, puis en brosser le surplus.

Continuer à passer la pâte entre les rouleaux sans la plier, en réglant les rouleaux pour qu'elle soit de plus en plus mince, jusqu'à ce qu'elle soit à l'épaisseur désirée. On doit laisser la pâte qui est déjà abaissée sécher pendant que l'on abaisse un autre morceau. Couper la pâte selon la forme désirée.

450 g (1 lb)

Note : Pour faire la pâte manuellement — c'est-à-dire sans robot ni machine à pâtes —, saupoudrer de farine une surface de travail. Disposer la farine en fontaine et mettre au centre les œufs et l'huile. À l'aide d'une fourchette, incorporer le mélange d'œufs à la farine. Pétrir la pâte avec les mains pendant 10 à 15 minutes ou jusqu'à ce qu'elle soit lisse et élastique.

Les recettes de base

Bouillon de poulet

*1 poulet de 1,3 kg (3 lb) ou morceaux de poulet
1 carotte pelée et coupée en morceaux
de 1,2 cm (¹/₂ po)
1 branche de céleri coupée en morceaux
de 1,2 cm (¹/₂ po)
1 oignon coupé en morceaux de 1,2 cm (¹/₂ po)
Bouquet garni : 1 brin de persil, 1 feuille de laurier,
1 brin de thym et 4 ou 5 grains de poivre
4 litres (16 tasses) d'eau*

Mettre tous les ingrédients dans une grande marmite et porter à ébullition.

Réduire à feu doux et laisser cuire sans couvercle pendant 2 heures, en écumant le bouillon de temps en temps. Filtrer le bouillon et jeter le poulet et les légumes. Placer le bouillon au réfrigérateur jusqu'à ce que le gras soit figé à la surface et qu'on puisse l'enlever facilement.

5 litres (20 tasses)

Riche bouillon de poulet : Faire mijoter deux fois plus de bouillon que ce dont on a besoin jusqu'à ce qu'il soit réduit de moitié.

Bouillon de poulet rôti : Mettre le poulet et l'oignon dans un plat allant au four légèrement huilé. Faire rôtir le poulet au four à 220 °C (425 °F) pendant 20 à 25 minutes ou jusqu'à ce qu'il soit bien doré. Poursuivre la recette selon la méthode décrite plus haut.

Bouillon de légumes

*60 ml (¹/₄ tasse) d'huile d'olive extra vierge
2 oignons grossièrement hachés
2 carottes pelées et grossièrement hachées
3 branches de céleri grossièrement hachées
125 ml (¹/₂ tasse) de vin blanc sec
4 litres (16 tasses) d'eau
Bouquet garni : 1 brin de persil, 1 brin de thym,
1 feuille de laurier et 4 ou 5 grains de poivre noir*

Dans une grande marmite, chauffer l'huile d'olive à feu moyen et faire sauter les oignons, les carottes et le céleri de 5 à 8 minutes ou jusqu'à ce qu'ils soient dorés. Ajouter le vin, chauffer à feu élevé, puis remuer le tout pour détacher les particules de légumes collées au fond de la marmite.

Poursuivre la cuisson jusqu'à ce que le vin soit presque complètement évaporé. Ajouter l'eau et le bouquet garni. Porter à ébullition, réduire à feu doux et cuire sans couvercle au moins 45 minutes. Filtrer le bouillon et jeter les légumes.

3 litres (12 tasses)

Riche bouillon de légumes : Cuire à feu élevé pour réduire le volume de moitié.

Les recettes de base

Fond de veau

*4,5 kg (10 lb) d'os de jarret de veau, coupés
en morceaux de 7,5 cm (3 po) de longueur
2 oignons coupés en morceaux de 2,5 cm (1 po)
Huile en quantité suffisante pour le plat
2 carottes pelées et coupées en morceaux
de 2,5 cm (1 po)
1 branche de céleri coupée en morceaux
de 2,5 cm (1 po)
Bouquet garni : 1 brin de persil, 1 feuille de laurier,
1 brin de thym et 4 ou 5 grains de poivre
8 litres (32 tasses) d'eau*

Chauffer le four à 220 °C (425 °F). Mettre les os et les oignons dans un plat allant au four légèrement huilé et faire rôtir au four de 35 à 40 minutes ou jusqu'à ce que les os soient bien dorés. Placer les os, les oignons et tous les autres ingrédients dans une grande marmite et porter à ébullition. Réduire à feu doux et cuire, sans couvercle, pendant 8 heures en écumant le bouillon de temps en temps. Filtrer le bouillon et jeter les éléments solides. Placer au réfrigérateur jusqu'à ce que le gras soit figé et qu'on puisse l'enlever facilement.

4 litres (16 tasses)

Noix grillées

Placer les noix sur une tôle à biscuits et les faire griller dans un four préchauffé à 180 °C (350 °F) de 8 à 10 minutes ou jusqu'à ce qu'elles soient dorées et qu'une bonne odeur s'en dégage. Si l'on utilise des pignons, il faut les laisser seulement de 5 à 7 minutes.

Têtes d'ail rôties

*4 têtes d'ail
125 ml (¹/₂ tasse) d'huile d'olive
Sel et poivre fraîchement moulu, au goût*

Chauffer le four à 150 °C (300 °F). Au milieu de chaque tête d'ail, faire une légère incision à l'aide d'un couteau tout le tour de la tête. Mais il faut faire attention de ne pas couper dans les gousses.

Pour dégager le haut des gousses, enlever la partie supérieure de la pelure. Placer les têtes d'ail dans un petit plat allant au four, badigeonné d'huile, puis verser l'huile d'olive sur l'ail. Saler et poivrer, couvrir et cuire pendant 1 heure. Retirer le couvercle et cuire de 10 à 15 minutes en arrosant fréquemment ou jusqu'à ce que les têtes soient très tendres. Laisser refroidir.

Tomates pelées et épépinées

Enlever la partie dure de chaque tomate en coupant autour de la queue. Plonger les tomates dans l'eau bouillante pendant 30 secondes, puis les mettre immédiatement dans de l'eau avec de la glace pour interrompre la cuisson. Peler ensuite les tomates. La peau glisse alors dans les mains. Pour épépiner les tomates, les couper en deux, les retourner au-dessus d'un évier, puis les presser pour en retirer les graines.

Ressources

De bonnes adresses

L'Émilie-Romagne est une région riche dans le domaine des arts. On peut y assister à des concerts, visiter des musées et tomber en admiration devant de nombreuses merveilles architecturales. Avant de vous y rendre, un peu de lecture vous aidera à profiter de tous ces trésors.
Informations touristiques : Modenatur
c/o Palazzo Municipale
Via Scudari, 8 , Modena
Tél./Téléc. : 011.39.59.20.66.86

« Slow Food »
Via Mendicità Istruita, 14
12042 Bra (CN)
Tél. : 011.39.172.41.12.73
Téléc. : 011.39.172.42.12.93

Cet organisme consacré à la lutte contre le fast-food publie d'excellents guides des plaisirs gastronomiques d'Italie.

Consorzio di Aceto Balsamico Tradizionale di Modena
Marco Costanzini
Via Ganaceto, 134
41100 Modena
Tél. : 011.39.59.23.69.81
Courriel : biancardiclaudio@agrofood.it

Consorzio fra Produttori di Aceto Balsamico Tradizionale di Reggio Emilia
Piazza della Vittoria, 1
42100 Reggio Emilia
Tél. : 011.39.522.79.62.25

Consorteria di Spilamberto
Villa Fabriani
Via Roncati, 28
41057 Spilamberto (MO)
Tél./Téléc. : 011.39.59.78.59.59

Les fabricants de vinaigre balsamique (Avant d'aller visiter, on doit téléphoner pour prendre rendez-vous.)

Antica Acetaia dei Conti Guidotti Bentivoglio
Palazzo Guidotti, Corso Cavour, 60
41100 Modena
Tél. : 011.39.59.23.42.83

Azienda Agricola Sante Bertoni
41040 Montegibbio di Modena (MO)
Tél. : 011.39.536.87.27.78

La Ca' dal Non'
Via Zanella, 5
Vignola (MO)
Tél. : 011.39.59.30.02.78

Cavalli
Via del Cristo, 6
Scandiano (RE)
Tél. : 011.39.522.98.34.30

Acetaia del Cristo
Via Badia, 41, Fraz. San Lorenzo
41030 San Prospero (MO)
Tél. : 011.39.59.33.03.83

Acetaia e Dispensa Leonardi
Via Mazzacavallo, 62
41010 Magreta (MO)
Tél. : 011.39.59.55.43.75

Acetaia Malpighi
Via A. Pica, 310
41100 Modena
Tél. : 011.39.59.28.08.93

Azienda Agricola di Italo Pedroni
Via Risaia, 2
41015 Nonantola
Tél. : 011.39.59.54.90.19

Pier Luigi Sereni
Via Zenzano, 398
41054 Marano sul Panaro (MO)
Tél./Téléc. : 011.39.59.77.21.22

Boutiques spécialisées

Salumeria Giuseppe Giusti
Via Farini, 75
Modena
Tél. : 011.39.59.22.25.33

Ce fournisseur vend depuis des décennies certains des meilleurs produits fins de Modène.

Enogastonomia Rustichelli & Piccinini
Via Emilia Est, 417
Modena
Tél. : 011.39.59.36.01.19

Produits fins pour les gourmets : salami, condiments, fromages, huiles et vinaigres.

Enologica Modenese
Via Jugoslavia, 24
41100 Modena Nord
Tél. : 011.39.59.45.05.19

Fournitures d'articles pour fabriquer le vin, le vinaigre et le vinaigre balsamique, incluant de délicates fioles et des pièces de service en verre soufflé à la main.

Les douceurs du marché
Marché Atwater
138, rue Atwater
étal 150, Montréal
Tél. : (514) 939-3902

Cet endroit regorge de délicieux produits. En provenance d'Italie, on y trouve, entre autres, des huiles de grande qualité, des pâtes et de très vieux vinaigres balsamiques (25 ans).

Milano
Au cœur de la petite Italie
6862, rue Saint-Laurent
Montréal
Tél. : (514) 273-8558

Excellent choix de produits italiens de toutes sortes : viandes, charcuteries, conserves, fromages, pâtes, chocolat, huile d'olive et, bien sûr, de très bons vinaigres balsamiques dont certains *extravecchio* ont vieilli pendant 35 ans.

Quincaillerie Dante
Dans la petite Italie
6851, rue Saint-Dominique
Montréal
Tél. : (514) 271-2057

Côté cuisine, on trouve ici des plats de service, quelques bons vinaigres balsamiques qui ont vieilli de 2 à 12 ans ainsi que des machines pour faire les pâtes.

Restaurants

Ristorante Lancellotti
Via Achille Grandi, 120
41019 Soliera (MO)
Tél. : 011.39.59.56.74.06
Téléc. : 011.39.59.56.54.31

Ici, des gens extraordinaires servent une nourriture extraordinaire, mise en valeur par des spécialités préparées avec des produits de leur jardin et de leur vinaigrerie. Comporte aussi une auberge. Fermé le dimanche et le lundi.

Ristorante Francescana
Via Stella, 22
Modena
Tél. : 011.39.59.21.01.18

Charmant restaurant servant des plats tout à fait délicieux, au centre de Modène. Fermé le dimanche.

Osteria Giusti
Via Farini, 75
Modena
Tél. : 011.39.59.22.25.33

Pour avoir le privilège de goûter aux plats maison raffinés de Laura Galli, il faut absolument réserver, car ce restaurant ne compte que quatre tables. Ouvert le midi seulement. Fermé le dimanche.

Villa Gaidello
Via Gaidello, 18
Castelfranco Emilia (MO)
Tél. : 011.39.59.92.66.20

Cuisine maison traditionnelle, tout à fait succulente. Comporte aussi une auberge. Fermé le dimanche et le lundi.

Osteria di Rubbiara
Via Risaia, 2
41015 Nonantola
Tél. : 011.39.59.54.90.19

Cuisine maison traditionnelle de Modène. Soyez assurés de vider votre assiette! Fermé le dimanche, le mardi et le jeudi.

Picci
Via XX Settembre, 2
Cavriago (RE)
Tél. : 011.39.522.37.18.01

La famille Piccirilli produit aussi du vinaigre balsamique. Fermé le lundi et le mardi.

Bibliographie

ANDERSON, Burton. *Treasures of the Italian Table*, New York, William Morrow, 1994.

BENEDETTI, Benedetto. *Aceto Balsamico : Manuale dell'Amatore*, Modène, Edizioni il Fiorino, 1995.

BERGONZINI, Renato. *In Cucina con l'Aceto Balsamico*, Bologne, Mundici & Zanetti Editori, 1996.

BERGONZINI, Renato. *L'Aceto Balsamico : Nella Tradizione e Nella Gastonomia*, Vicence, Mundici & Zanetti Editori, 1990.

CAVAZZUTI, Vittorio. *Aceto Balsamico : Tradizione e Uso di un Antico e Pregiato Condimento*, Fiesole, Nardini Editore, 1994.

CONSORZIO TUTELA ACETO BALSAMICO DI MODENA. *L'Aceto Balsamico di Modena*. Savignano sul Panaro (MO), Litografia F.G.

HAZAN, Marcella. *The Classic Italian Cookbook*, New York, Alfred A. Knopf, 1973.

KASPER, Lynne Rossetto. *The Splendid Table : Recipes from Emilia-Romagna, the Heartland of Northern Italian Food*, New York, William Morrow, 1992.

PLOTKIN, Fred. *Italy for the Gourmet Traveler*, Little, Brown, 1996.

SACCHETTI, Mario. *L'Aceto Balsamico Modenese*, Bologne, Edagricole-Edizioni Agricole, 1991.

SALVATERRA, Gianni. *L'Aceto Balsamico Tradizionale di Modena*, Bologne, Calderini, 1994.

Index général

Index des recettes

Note : Les pages en italique représentent les endroits où se trouvent les photos.

Table des matières

Achevé d'imprimer au Canada
en février 2002
sur les presses de l'imprimerie Interglobe Inc.